ゲンバの日本語
単語帳
製造業

働く外国人のためのことば

AOTS
一般財団法人海外産業人材育成協会　著

スリーエーネットワーク

Published by 3A Corporation.
Trusty Kojimachi Bldg., 2F, 4, Kojimachi 3-Chome, Chiyoda-ku, Tokyo 102-0083, Japan

ISBN978-4-88319-884-9 C0081

First published 2021
Printed in Japan

はじめに

本書は、外国人材の就労や技能実習生や技術研修生の研修などで必要となる「現場のことば」を集めました。働く現場では、「納期」「組み立てる」「5S」といった一般向けの日本語教材では学習しないことばが飛び交っています。本書は、それらのことばを日本語学習の初級者でも学習できることを目指して、必要最小限のことばを厳選し、効率よく学べる工夫をしました。ぜひ、すきま時間にさっと取り出して、ゲンバのことばを覚えてください！

Preface

This book contains workplace words needed for purposes such as employment of non-Japanese workers and training of technical interns and trainees. Words not covered in ordinary Japanese learning materials, such as "the delivery date," "assemble," and "5S," are used often in the workplace. Intended to help even beginner learners of Japanese learn such words, this book has been designed to enable efficient learning by carefully selecting only the minimum words necessary. Readers are encouraged to refer to it in their spare moments to learn workplace terminology.

前言

本书收集了外国人才就业、技能实习生和技术进修生的研修等所需的"现场用语"。在工作现场，"交货期"、"组装"、"5S"等面向一般人的日语教材中无需学习的用语层出不穷。本书为了提高学习效率，并且让日语学习的初学者也有机会学习这些用语，在必要最小限度的范围内进行了精选。请一定要活用间隙时间，使用本书牢记各种现场用语！

Lời nói đầu

Quyển sách này tập hợp các "từ vựng tại hiện trường làm việc" cần thiết dành cho lao động người nước ngoài làm việc tại Nhật Bản và dành cho việc đào tạo thực tập sinh kỹ năng, tu nghiệp sinh, vv... Tại hiện trường làm việc, bạn sẽ thường xuyên nghe thấy những từ vựng chưa từng được học trong các giáo trình tiếng Nhật thông thường, chẳng hạn như "thời hạn giao hàng/hạn chót", "lắp ráp", "5S". Trong quyển sách này, chúng tôi đã chọn lọc kỹ các từ vựng tối thiểu cần thiết và tốn nhiều công sức biên soạn để người học có thể học với hiệu quả cao, nhằm mục đích để ngay cả người học tiếng Nhật trình độ sơ cấp cũng có thể học được những từ vựng đó. Vào những khoảng thời gian rảnh rỗi, bạn hãy tranh thủ lấy sách này ra và cố gắng học, nhớ các từ vựng của nơi làm việc nhé!

คำนำ

แบบเรียนฉบับนี้ ได้รวบรวม "คำศัพท์ที่ใช้ในสถานที่ทำงาน" ที่จำเป็นต่อการสมัครงานของบุคลากรต่างชาติ,
ผู้ฝึกงานทางด้านทักษะ หรือ ผู้ฝึกอบรมทางด้านเทคโนโลยี อย่างเช่น เรื่องเกี่ยวกับ "กำหนดการส่งมอบ"
"ประกอบ" "5S" อยู่รายรอบตัว ซึ่งเป็นคำพูดที่ศึกษาไม่ได้จากแบบเรียนภาษาญี่ปุ่นทั่วไป
เอกสารนี้มุ่งหวังให้สามารถศึกษาคำเหล่านั้นได้แม้จะเป็นผู้ศึกษาภาษาญี่ปุ่นเบื้องต้น โดยได้คัดเลือกคำที่อย่างน้อย
จำเป็นต้องศึกษาและประยุกต์ให้สามารถศึกษาได้อย่างมีประสิทธิภาพ กรุณาหยิบมันออกมาในเวลาว่าง
แล้วจดจำคำพูดในสถานที่ทำงานให้ได้กัน!

Pendahuluan

Buku ini mengumpulkan "kata-kata lapangan" yang dibutuhkan dalam pekerjaan oleh sumber daya
manusia orang asing atau peserta pemagangan dan peserta pelatihan teknis. Di lapangan kerja banyak
terdapat kata-kata seperti "waktu pengiriman/batas waktu," "merakit", "5R" yang tidak dipelajari dalam buku
pelajaran Bahasa Jepang untuk umum. Buku ini bertujuan agar para pemula yang belajar Bahasa Jepang
dapat mempelajari kata-kata tersebut, dengan memilih secara selektif kata-kata minimal yang dibutuhkan
dengan dirancang secara efisien untuk belajar. Ayo gunakan waktu senggang untuk menghafal kata-kata
lapangan!

ဦးစွာ

ဤစာအုပ်တွင် နိုင်ငံခြားသား၊ လူစွမ်းအားအရင်းအမြစ်များ အလုပ်လုပ်ခြင်း၊ နည်းပညာဆိုင်ရာ
အလုပ်သင်သင်တန်းသား နှင့် နည်းပညာလေ့ကျင့်ရေးသင်တန်းသားများ၏ လေ့ကျင့်ရေးတွင်
လိုအပ်သော "အလုပ်ခွင်သုံး စကားလုံးများ" ကို စုစည်းထားသည်။ အလုပ်လုပ်သော နေရာတွင်
"ပေးပို့ရမည့်အချိန်" "တပ်ဆင်သည်" "5S" ဟုဆိုသည့် အများသုံး ဂျပန်ဘာသာစကား
သင်ထောက်ကူတွင် မသင်ခဲ့ရသော စကားလုံးများ ထွက်လာတတ်သည်။ ဤစာအုပ်တွင် အဆိုပါ
စကားလုံးများကို ဂျပန်ဘာသာစကား သင်ယူဆဲဖြစ်သော အခြေခံသင်ယူနေသူများပါ
သင်ယူနိုင်ရန် ရည်ရွယ်၍၊ အနည်းဆုံးလိုအပ်သည့် စကားလုံးများကို သေသေချာချာ
ရွေးချယ်ထားကာ၊ ထိထိရောက်ရောက် သင်ယူနိုင်ရန် ဖန်တီးထားသည်။ အချိန်ရသည်နှင့်
ထုတ်ကာ အလုပ်ခွင်သုံး စကားလုံးများကို သေချာပေါက် မှတ်သားထားပါ။

目次 (もくじ) Contents 目录 Mục lục สารบัญ Daftar isi မာတိကာ

本書を使用される方へ

本書の特長

① 入門者・初級前半の人も学びやすい例文

・初級前半の文型（＊）を使用

・20文字以内で理解しやすい

・製造業のゲンバを想定した表現

（＊）『みんなの日本語　初級Ⅰ』20課までの文型を使用。一部よく使う表現に限り例外あり。

② 6言語による翻訳付き

英語・中国語・ベトナム語・タイ語・インドネシア語・ミャンマー語を掲載。多国籍クラスで使用可能。

③ 必要なところから学習できる構成

・「共通基礎語彙」136語（業種を問わず働く現場で共通して使うことば）

・「分野別語彙」208語（製造業で使うことば）

さらに、それぞれトピックごとにまとめて掲載。

補助教材

① 練習問題

スリーエーネットワークのウェブサイトに練習問題（PDF形式）があります。ことばの使い方を練習しましょう。

② アプリ

見出し語の意味と、音声を確認できるアプリがあります。音声は無料で聞けますので、ぜひ聞いてみましょう。

https://www.3anet.co.jp/np/books/4234/

本書の使い方

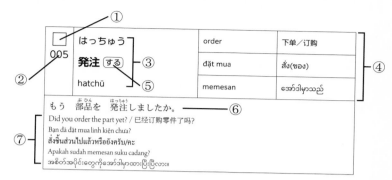

①覚えたものをチェックしたり、必要な語彙にしるしを付けたりするのに使います。

② 001 から 344 まであります。

③覚えることばです。

④見出し語の各国語訳です。英語、中国語、ベトナム語、タイ語、インドネシア語、ミャンマー語があります。

⑤「する」を付けて、動詞としてもよく使われる名詞です。

⑥見出し語を使った例文です。

⑦例文の各国語訳です。

学習方法の例

①ことばの意味を確認しましょう。アプリの音声を聞いて発音してみましょう。

②例文を読みましょう。

③翻訳を見て、例文の意味やことばの使い方を確認しましょう。

④使えそうな例文は、何度も発音して覚えましょう。

⑤ウェブサイトにある練習問題をやってみましょう。

To users of this book

This book's strong points

① Its example sentences make study easier for introductory-level and lower-elementary-level learners.

- Uses sentence patterns at the lower-elementary level *
- Easy-to-understand sentences of 20 or fewer characters
- Expressions suited to manufacturing workplaces

* Uses sentence patterns from lessons 1-20 of『みんなの日本語　初級Ⅰ』. Some common expressions are exceptionally used.

② Includes translations into six languages

Includes English, Chinese, Vietnamese, Thai, Indonesian, and Myanmar translations. Suitable for use in multinational classes.

③ Its structure is intended to let learners start with the knowledge they need.

- 136 common basic vocabulary (words used commonly in workplaces in any industry)
- 208 Sectoral Vocabulary (words used in manufacturing)

Lessons also are grouped by topic.

Supplementary learning materials

① Practice question

Practice questions (in PDF format) are available on the 3A Corporation website. Use them to practice using the words.

② APP

Use the app to check the meanings and pronunciations of headwords. As you can listen to the audio content for free, be sure to use it.

https://www.3anet.co.jp/np/books/4234/

Using this book

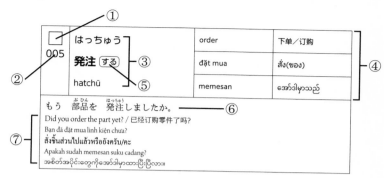

① Check the box if you have learned the word or to mark a word you need to learn.

② Words are numbered from 001 to 344.

③ The word to learn

④ The headword is translated into the English, Chinese, Vietnamese, Thai, Indonesian, and Myanmar languages.

⑤ Nouns often used as verbs by adding "する (-suru)."

⑥ An example sentence using the words.

⑦ The example sentence is translated into multiple languages.

Example learning method

① Check the meaning of the word. Listen to the audio and try to pronounce it.

② Read the example sentence.

③ Look at the translation and check the meaning and how the word is used in the example sentence.

④ Memorize the example sentence if it seems useful, by pronouncing it repeatedly.

⑤ Try the practice questions on the Web.

致本书学习者

本书的特点

①入门者及初级前期的人也容易学习的例句

·使用初级前期的句型（*）

·例句仅 20 个字以内容易理解

·符合制造业现场的表现

（*）使用『みんなの日本語　初級Ⅰ』前 20 课的句型。部分常用的表现有例外的情况。

②附带 6 种语言翻译

刊载有英语·中文·越南语·泰语·印度尼西亚语·缅甸语。可在多国籍班使用。

③可以从需要的地方开始学习的结构

·"通用基础词汇" 136 个词（不分行业在工作现场通用的词汇）

·"各领域词汇" 208 个词（在制造业使用的词汇）

此外，还分别按主题汇总刊载。

辅助教材

①练习题

3A 的网站上有练习题（PDF 格式）。让我们来练习使用词汇吧。

②应用程序

有可以确认词条的意思和发音的应用程序。可免费听发音，所以请务必试试。

https://www.3anet.co.jp/np/books/4234/

本书的使用方法

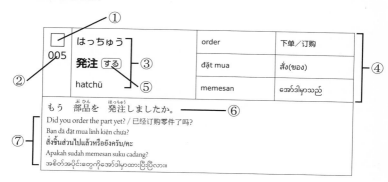

①勾选已经记住的词汇，在必要的词汇上做记号。

②001 到 344。

③记住的词汇。

④词条的各国语言翻译。有英语、中文、越南语、泰语、印度尼西亚语和缅甸语。

⑤加上"する"，可以当作动词使用的名词。

⑥使用词条的例句。

⑦例句的各国语言翻译。

学习方法的例子

①确认词汇的意思。听语音练习发音。

②读例句。

③读阅译文，确认例句的意思和词汇的使用方法。

④觉得可以用到的例句，要反复发声读出来记忆。

⑤做网络练习题。

Gởi đến các bạn sử dụng tài liệu này

Đặc trưng của quyển sách này

① Các câu ví dụ dễ học đối với cả người mới bắt đầu học và người đã học nửa đầu trình độ sơ cấp

- Sử dụng mẫu câu (*) của nửa đầu trình độ sơ cấp
- Câu ví dụ dễ hiểu trong vòng 20 ký tự
- Những câu nói được đặt trong tình huống là hiện trường làm việc của ngành chế tạo

(*) Sử dụng các mẫu câu ở trong bài 1 đến bài 20 của giáo trình 『みんなの日本語
初級Ⅰ』. Chỉ có ngoại lệ ở một số câu nói thường dùng

② Có kèm theo bản dịch của 6 thứ tiếng

Bao gồm tiếng Anh, tiếng Trung., tiếng Việt, tiếng Thái, tiếng Indonesia, và tiếng Myanmar.
Có thể sử dụng trong lớp học đa quốc tịch.

③ Cấu trúc sách giúp bạn có thể học từ những điểm cần thiết

- "Từ vựng cơ bản thông thường": 136 từ (từ vựng phổ thông được sử dụng tại nhiều hiện trường làm việc bất kể ngành nghề)
- "Từ vựng theo lĩnh vực": 208 từ (từ vựng sử dụng trong ngành chế tạo)

Ngoài ra, chúng tôi còn biên soạn tập trung theo từng chủ đề.

Giáo trình bổ trợ

① Bài luyện tập

Các bài luyện tập (định dạng PDF) được đăng tải trên trang web của 3A Corporation. Bạn
hãy thường xuyên luyện tập cách sử dụng các từ vựng nhé.

② Phần mềm ứng dụng

Chúng tôi có một phần mềm ứng dụng giúp bạn xác nhận ý nghĩa và cách phát âm của
từ vựng. Ứng dụng này hỗ trợ nghe âm thanh miễn phí nên bạn hãy tận dụng để nghe thử
cách đọc nhé.

https://www.3anet.co.jp/np/books/4234/

Cách sử dụng quyển sách này

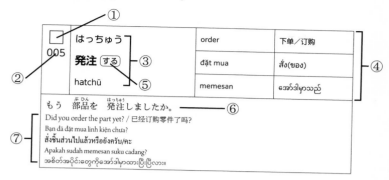

① Sử dụng cột này để kiểm tra những từ đã ghi nhớ hoặc đánh dấu vào các từ vựng cần thiết.

② Các từ vựng được đánh số từ 001 đến 344.

③ Đây là từ vựng để bạn ghi nhớ.

④ Đây là bản dịch của từ vựng sang các thứ tiếng. Chúng tôi có bản dịch tiếng Anh, tiếng Trung, tiếng Việt, tiếng Thái, tiếng Indonesia và tiếng Myanmar.

⑤ Đây là danh từ và sẽ thường được sử dụng như động từ khi gắn thêm "する".

⑥ Đây là câu ví dụ có sử dụng từ vựng được để cập.

⑦ Đây là bản dịch câu ví dụ sang các thứ tiếng.

Ví dụ về phương pháp học

① Hãy nghe cách phát âm trên phần mềm ứng dụng và cố gắng đọc lại nhé

② Đọc câu ví dụ.

③ Xem bản dịch để xác nhận ý nghĩa của câu ví dụ và cách sử dụng từ vựng.

④ Đối với câu ví dụ có thể sử dụng tại nơi làm việc, đọc lên nhiều lần để ghi nhớ.

⑤ Thử làm bài luyện tập trên trang web.

ถึงผู้ใช้ตำราเล่มนี้

จุดเด่นของแบบเรียนนี้

① มีตัวอย่างประโยคที่เรียนรู้ได้ง่ายทั้งผู้ที่เพิ่งเริ่มเรียน·ผู้ที่เรียนในระดับชั้นต้น

- ใช้รูปประโยคที่มาจาก (*) ตำราเรียนระดับชั้นต้นครึ่งแรก
- เข้าใจได้ง่ายเพราะไม่เกิน 20 ตัวอักษร
- ใช้สำนวนที่ตั้งสมมติฐานจากสถานที่ที่ทำงานการผลิต

(*) ใช้รูปประโยคที่มีอยู่ถึงบทที่ 20 ในตำราเรียน 『みんなの日本語　初級Ⅰ』 ยกเว้นแต่เฉพาะบางสำนวนที่มีการใช้บ่อยแค่ส่วนหนึ่งเท่านั้น

② มีการแปล 6 ภาษา

พร้อมด้วย ภาษาอังกฤษ·ภาษาจีน·ภาษาเวียดนาม·ภาษาไทย·ภาษาอินโดนีเซีย·ภาษาเมียนมา
สามารถใช้ในห้องเรียนหลากสัญชาติได้

③ มีโครงสร้างที่สามารถเริ่มเรียนได้จากจุดที่จำเป็น

- "คำศัพท์พื้นฐานทั่วไป" 136 คำ (คำที่ใช้ร่วมกันในสถานที่ที่ทำงานโดยไม่แบ่งแยกประเภทงาน)
- "คำศัพท์เฉพาะทาง" 208 คำ (คำที่ใช้ในงานการผลิต)

นอกจากนี้ ยังได้มีการรวบรวมเนื้อหาโดยแบ่งออกเป็นหัวเรื่องต่าง ๆ ในการจัดพิมพ์ด้วย

สื่อการเรียนเสริม

① แบบฝึกหัด

มีแบบฝึกหัด (รูปแบบไฟล์ PDF) ในเว็บไซต์ 3A Corporation มาฝึกฝนวิธีใช้คำกันเถอะ

② แอปพลิเคชัน

มีแอปพลิเคชันที่ใช้ตรวจสอบความหมายของคำหลักและฟังเสียงได้ โดยสามารถฟังเสียงได้ฟรี
เชิญลองฟังกันดู

https://www.3anet.co.jp/np/books/4234/

วิธีใช้แบบเรียนนี้

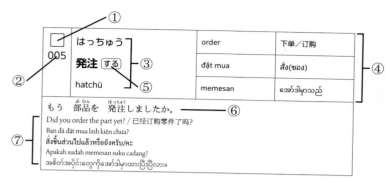

① ใช้สำหรับเช็คเรื่องที่จำได้แล้ว หรือทำเครื่องหมายตรงคำศัพท์ที่จำเป็น

② มีตั้งแต่ 001 ถึง 344

③ เป็นคำที่ต้องจำ

④ การแปลคำหลักเป็นแต่ละภาษา โดยมีภาษาอังกฤษ, ภาษาจีน, ภาษาเวียดนาม, ภาษาไทย, ภาษาอินโดนีเซีย, ภาษาเมียนมา

⑤ คำนามที่มักใช้เป็นคำกริยาโดยการเติม 「する (suru/ทำ)」

⑥ ประโยคตัวอย่างที่ใช้คำหลัก

⑦ การแปลประโยคตัวอย่างในแต่ละภาษา

ตัวอย่างวิธีการศึกษา

① ตรวจสอบความหมายของคำ ฟังเสียงจากแอปพลิเคชันแล้วลองออกเสียง

② อ่านประโยคตัวอย่าง

③ ดูการแปลและตรวจสอบความหมายของประโยคตัวอย่างหรือวิธีใช้คำ

④ สำหรับประโยคตัวอย่างที่น่าจะใช้งานได้ ให้ออกเสียงบ่อย ๆ แล้วจดจำ

⑤ ลองทำแบบฝึกหัดในเว็บไซต์

Untuk orang yang menggunakan buku ini

Kelebihan buku ini

① Contoh kalimat mudah dipelajari oleh pembelajar tingkat pemula atau tingkat dasar pertengahan awal

- Memakai pola kalimat (*) tingkat dasar pertengahan awal
- Mudah dipahami karena tidak lebih dari 20 huruf
- Ungkapan yang mengasumsikan lapangan kerja industri manufaktur

(*) Memakai pola kalimat『みんなの日本語　初級Ⅰ』sampai pelajaran ke-20. Terdapat pengecualian untuk sebagian ungkapan yang sering dipakai.

② Ada terjemahan dalam 6 bahasa

Menampilkan Bahasa Inggris, China, Vietnam, Thailand, Indonesia, dan Myanmar. Dapat dipergunakan untuk kelas dengan peserta dari berbagai macam kewarganegaraan.

③ Struktur pembelajaran yang dapat dimulai dari bagian yang dibutuhkan

- "Kosakata dasar umum" 136 kata (Kata-kata yang umum dipakai di lapangan kerja tanpa melihat jenis industri)
- "Kosakata tiap bidang" 208 kata (Kata-kata yang dipakai di industri manufaktur)

Bahan ajar pembantu

① Soal latihan

Di situs 3A Corporation tersedia soal latihan (format PDF). Ayo belajar cara pemakaian kata-kata.

② Aplikasi

Terdapat aplikasi untuk mengecek arti dari kata pokok dan suara. Suara dapat didengar secara gratis, ayo coba mendengarkan.

https://www.3anet.co.jp/np/books/4234/

Cara penggunaan buku

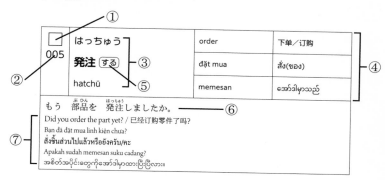

① Dipakai untuk mengecek yang telah dihafal, atau menandai kosakata yang dibutuhkan.

② Dari 001 sampai 344.

③ kata-kata yang akan dihafal.

④ Terjemahan tiap bahasa untuk kata pokok. Terdapat Bahasa Inggris, China, Vietnam, Thailand, Indonesia, dan Myanmar.

⑤ Kata benda yang sering dipakai juga sebagai kata kerja dengan menambahkan 「する (suru)」.

⑥ Contoh kalimat yang memakai kata pokok.

⑦ Terjemahan tiap bahasa untuk contoh kalimat.

Contoh metode pembelajaran

① Memeriksa arti kata-kata. Dengarkan suara di aplikasi dan coba ucapkan.

② Membaca contoh kalimat.

③ Melihat terjemahan, memeriksa arti contoh kalimat dan cara penggunaan kata-kata.

④ Menghafal contoh kalimat yang dapat dipakai dengan mengucapkannya berkali-kali.

⑤ Mencoba soal latihan yang ada di Website.

ဤစာအုပ်ကိုလေ့လာသုံးစွဲမည့်သူများသို့

ဤစာအုပ်၏ ထူးခြားချက်များ

(၁) စတင်သင်ကြားမည့်သူများ၊ အခြေခံသင်ယူနေသူများလည်း သင်ယူလွယ်သော သာဓကစာကြောင်းများ

– အခြေခံသင်ယူနေသူများ နားလည်နိုင်မည့် စာကြောင်းပုံစံ(*) များကို အသုံးပြုထားခြင်း

– စာလုံး ၂၀ အတွင်းဖြစ်ပြီး နားလည်လွယ်ခြင်း

– ထုတ်လုပ်ရေးလုပ်ငန်းနေရာကို ကြံဆထားသောဖော်ပြချက်များ

(*)『みんなの日本語　初級Ⅰ』အခန်း ၂၀ အထိမှ စာကြောင်းပုံစံများကို အသုံးပြုထားခြင်း။ ခြင်းချက်အနေနှင့် တချို့သင်ခန်းစာများမှ မကြာခဏ အသုံးပြုသော အသုံးအနှုန်းဖော်ပြချက် များပါရှိပါသည်။

(၂) ဘာသာစကား ၆မျိုးဖြင့် ဘာသာပြန်ပါရှိခြင်း

အင်္ဂလိပ်ဘာသာ၊ တရုတ်ဘာသာ ၊ ဗီယက်နမ်ဘာသာ၊ ထိုင်းဘာသာ၊ အင်ဒိုနီးရှားဘာသာ၊ မြန်မာဘာသာများဖြင့် ထည့်သွင်းထားသည်။ ဘာသာပေါင်းစုံ အတန်းတွင် အသုံးပြုနိုင်သည်။

(၃) လိုအပ်သည်နေရာမှ သင်ယူနိုင်သော ဖွဲ့စည်းပုံ

– "အများသုံးအခြေခံဝေါဟာရများ" ၁၃၆ လုံး (လုပ်ငန်းအမျိုးအစားနှင့် မသက်ဆိုင်ဘဲ အလုပ်လုပ်သော နေရာတွင် အများအသုံးပြုနေသော ဝေါဟာရများ)

– "ကဏ္ဍအလိုက်ဝေါဟာရများ" ၂၀၈ လုံး (ထုတ်လုပ်ရေးလုပ်ငန်းတွင် အသုံးပြုနေသော ဝေါဟာရများ)

ထို့အပြင် ခေါင်းစဉ်အသီးသီးတွင် တစ်ခုချင်းစီကို စုစည်း၍ ဖြည့်သွင်းထားခြင်း။

သင်ထောက်ကူပစ္စည်းများ

(၁) လေ့ကျင့်ခန်းမေးခွန်း

3–A ကော်ပိုရေးရှင်း ၏ ဝက်ဘ်ဆိုဒ်တွင် လေ့ကျင့်ခန်းမေးခွန်း (PDF ဖြင့်) များ ရှိသည်။ ဝေါဟာရ အသုံးပြုပုံကို လေ့ကျင့်ကြရအောင်။

(၂) App

ခေါင်းစဉ်စာလုံး၏အဓိပ္ပါယ်နှင့် အသံထွက်ကို အတည်ပြုနိုင်သော App ရှိသည်။ အသံထွက်ကို အခမဲ့နားထောင်နိုင်၍ သေချာပေါက် နားထောင်ကြည့်ရအောင်။

https://www.3anet.co.jp/np/books/4234/

ဤစာအုပ်ကို အသုံးပြုပုံ

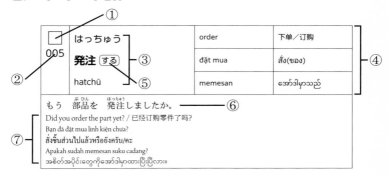

(၁) ကျက်မှတ်ထားသည်များကို စစ်ဆေးခြင်း၊ လိုအပ်သော ဝေါဟာရများတွင်အမှတ်အသား ထားခြင်းများတွင် အသုံးပြုနိုင်သည်။

(၂) ၀၀၁ မှ ၃၄၄ အထိရှိသည်။

(၃) ကျက်မှတ်ထားရန် ဝေါဟာရများ ဖြစ်သည်။

(၄) ခေါင်းစဉ်စာလုံးကို ဘာသာအသီးသီးသို့ ပြန်ဆိုထားခြင်းဖြစ်သည်။ အင်္ဂလိပ်ဘာသာ၊ တရုတ်ဘာသာ၊ ဗီယက်နမ်ဘာသာ၊ ထိုင်းဘာသာ၊ အင်ဒိုနီးရှားဘာသာ၊ မြန်မာဘာသာများ ပါဝင်သည်။

(၅) "する (ပြုလုပ်ခြင်း)" ကိုဆက်၍ ကြိယာအနေဖြင့်လည်း မကြာခဏသုံးသော နာမ်ဖြစ်သည်။

(၆) ခေါင်းစဉ်စာလုံးကိုအသုံးပြုထားသော သာဓကစာကြောင်းများဖြစ်သည်။

(၇) သာဓကစာကြောင်းများကို ဘာသာအသီးသီးသို့ ပြန်ဆိုထားခြင်းဖြစ်သည်။

လေ့ကျင့်ရေးသဒ္ဒါများအတွက် သာဓကစာကြောင်းများ

(၁) စကားလုံး၏ အဓိပ္ပာယ်ကို အာတည်ပြုကြရအောင်။ Application၏အသံထွက်ကို နားထောင်၍ အသံထွက်ဖတ်ကြည့်ရအောင်။

(၂) သာဓကစာကြောင်းကို ဖတ်ကြည့်ရအောင်။

(၃) ဘာသာပြန်ကိုကြည့်ပြီး သာဓကစာကြောင်း၏ အဓိပ္ပာယ်နှင့် စကားလုံးအသုံးပြုပုံများကို အာတည်ပြုကြရအောင်။

(၄) အသုံးပြုနိုင်သော သာဓကစာကြောင်းများကို အကြိမ်ကြိမ် အသံထွက်ဖတ်ပြီး ကျက်မှတ်ရအောင်။

(၅) Websiteတွင်ရှိသော လေ့ကျင့်ရေးမေးခွန်းများကို လေ့ကျင့်ကြရအောင်။

自分に関する語彙

Vocabulary related to yourself / 有关自身的词汇 / Từ vựng liên quan đến bản thân
คำศัพท์ที่เกี่ยวข้องกับตัวเอง / Kosakata terkait Diri Sendiri / မိမိနှင့်ဆက်စပ်မှုရှိသည့် ဝေါဟာရများ

１．あなたの名前

Your name / 你的名字 / Tên của bạn / ชื่อของคุณคือ / Nama Anda / အမည်

_____

２．あなたのニックネーム

Your nickname / 你的昵称 / Biệt danh của bạn / ชื่อเล่นของคุณคือ / Nama Panggilan Anda / အမည်ပြောင်

_____

３．日本で研修する会社の名前／日本で働く会社の名前

Name of the company in Japan where you will be trained or work
在日本接受培训的公司名称或在日本工作的公司名称
Tên công ty nơi bạn được đào tạo tại Nhật Bản, Tên công ty nơi bạn làm việc tại Nhật Bản
ชื่อบริษัทที่จะเข้ารับการฝึกอบรมในญี่ปุ่น, ชื่อบริษัทที่จะเข้าทำงานในญี่ปุ่น
Nama perusahaan tempat pelatihan di Jepang, Nama perusahaan tempat bekerja di Jepang
ဂျပန်နိုင်ငံတွင် ပညာလေ့လာသင်ယူမည့် ကုမ္ပဏီ၏အမည်၊ ဂျပန်နိုင်ငံတွင် တာဝန်ထမ်းဆောင်မည့် ကုမ္ပဏီ၏အမည်

_____

4．どこで研修しますか。どこで働きますか。都道府県・都市名を書いてください。

Where will you be trained? Where will you work? Write down the name of the prefecture and city.

你在哪里接受培训？ 在哪里工作？ 请填写都道府县和都市名。

Bạn sẽ được đào tạo ở đâu? Bạn sẽ làm việc ở đâu? Vui lòng viết tên của các tỉnh, thủ đô hoặc tên các thành phố lớn.

คุณฝึกอบรมหรือทำงานที่ใด กรุณาเขียนชื่อจังหวัด/เมือง

Di mana Anda akan mengikuti pelatihan? Di mana Anda akan bekerja? Tuliskan nama prefektur dan kotanya.

မည်သည့်ဒေသတွင် လေ့ကျင့်ရေးပြုလုပ်မည်နည်း။ မည်သည့်ဒေသတွင် တာဝန်ထမ်းဆောင်မည်နည်း။ ခရိုင်ဒေသအလိုက်၊ မြို့အမည်ကို ရေးသွင်းပါရန်။

例　Example / 例如 / Ví dụ / ตัวอย่าง / Contoh / ဥပမာ

大阪府　　大阪市　　住吉区

5．どんな技術の研修をしますか。どんな仕事をしますか。

What kind of techniques will you be trained in? What kind of work will you do?

你将接受什么技术培训？ 做什么工作？

Bạn sẽ được đào tạo về kỹ thuật gì? Bạn sẽ làm công việc gì?

คุณฝึกอบรมทางเทคโนโลยีในสาขาใด คุณทำงานอะไร

Pelatihan teknis seperti apa yang akan Anda ikuti? Pekerjaan seperti apa yang akan Anda lakukan?

မည်သည့်နည်းပညာကို လေ့ကျင့်ရေးပြုလုပ်မည်နည်း။ မည်သို့သောအလုပ်ကို လုပ်ကိုင်မည်နည်း။

例　Example / 例如 / Ví dụ / ตัวอย่าง / Contoh / ဥပမာ

自動車部品の設計

6．あなたの会社の主要な製品やサービスは何ですか。

What are your company's major products or services?

你的公司主要产品或服务是什么?

Sản phẩm hoặc dịch vụ chủ yếu của công ty bạn là gì?

ผลิตภัณฑ์หรือบริการหลักของบริษัทคุณคืออะไร

Apa produk maupun jasa utama dari perusahaan Anda?

သင့်ကုမ္ပဏီ၏ အဓိကထုတ်ကုန်နှင့် ဝန်ဆောင်မှုသည် မည်သည်ဖြစ်သနည်း။

例　Example / 例如 / Ví dụ / ตัวอย่าง / Contoh / ဥပမာ

ブレーキ、サスペンダー、バンパー

パート1　共通基礎語彙

Part 1　Common basic vocabulary
第 1 部分　通用基础词汇
Phần 1　Từ vựng cơ bản thông dụng
ส่วนที่ 1　คำศัพท์พื้นฐานทั่วไป
Bagian 1　Kosakata Dasar Umum
အပိုင်း 1　အများသုံးအခြေခံ ဝေါဟာရများ

せいさんかんり
生産管理

Production management	生产管理	
Quản lý sản xuất	การควบคุมการผลิต	
Manajemen Produksi	ထုတ်လုပ်မှုစီမံခန့်ခွဲခြင်း	

	ぎじゅつ	technique/technology	技术
001	**技術**	công nghệ	เทคโนโลยี
	gijutsu	teknik/teknologi	နည်းပညာ

にほん の ぎじゅつ を おぼえて くに へ かえります。
日本の 技術を 覚えて 国へ 帰ります。
I will learn Japanese techniques and then return to my home country. / 掌握日本的技术回国。
Tôi sẽ học hỏi tích lũy công nghệ của Nhật Bản và về nước.
จะจดจำเทคโนโลยีของญี่ปุ่น แล้วนำกลับไปยังประเทศบ้านเกิดครับ/ค่ะ
Pulang ke negara asal setelah mempelajari teknologi Jepang.
ဂျပန်၏နည်းပညာများကိုသင်ယူပြီး နိုင်ငံသို့ပြန်ပါမည်။

	ひんしつ	quality	品质
002	**品質**	chất lượng	คุณภาพ
	hinshitsu	kualitas/mutu	အရည်အသွေး

ABC しゃの せいひん は ひんしつ が いいですね。
ABC 社の 製品は 品質が いいですね。
ABC's products are high quality. / ABC 公司的产品质量很好啊。
Sản phẩm của công ty ABC có chất lượng tốt nhỉ.
ผลิตภัณฑ์ของบริษัท ABC มีคุณภาพดีนะครับ/คะ
Produk perusahaan ABC berkualitas baik, ya.
ABCကုမ္ပဏီရဲ့ ထုတ်ကုန်တွေက အရည်အသွေးကောင်းတယ်နော်။

	せいひん	product	产品
003	**製品**	sản phẩm	ผลิตภัณฑ์
	seihin	produk	ထုတ်ကုန်

こうじょうでは でんきせいひん を つくって います。
A 工場では 電気製品を 作って います。
The A Factory manufactures electrical products. / A 工厂生产电器产品。
Nhà máy A sản xuất các sản phẩm điện tử.
ที่โรงงาน A ผลิตเครื่องใช้ไฟฟ้าครับ/ค่ะ
Pabrik A membuat produk elektronik.
Aစက်ရုံတွင် လျှပ်စစ်ထုတ်ကုန်ပစ္စည်းများကို ထုတ်လုပ်လျက်ရှိပါသည်။

	きのう		function	机能／功能
004	機能 する		tính năng	ใช้งานได้/ฟังก์ชันการใช้งาน
	kinō		fungsi/fitur	function

これは 便利な 機能ですね。

This function is useful. / 这是方便的功能啊。

Đây là một tính năng tiện lợi nhỉ.

นี่เป็นฟังก์ชั่นที่สะดวกดีนะครับ/ค่ะ

Ini fitur yang praktis, ya.

ဒါကအဆင်ပြေတဲ့ functionပဲနော်။

	はっちゅう		order	下单／订购
005	発注 する		đặt mua	สั่ง(ของ)
	hatchū		memesan	အော်ဒါမှာသည်

もう 部品を 発注しましたか。

Did you order the part yet? / 已经订购零件了吗?

Bạn đã đặt mua linh kiện chưa?

สั่งชิ้นส่วนไปแล้วหรือยังครับ/ค่ะ

Apakah sudah memesan suku cadang?

အစိတ်အပိုင်းတွေကိုအော်ဒါမှာထားးပြီးပြီလား။

	せいさん		produce	生产
006	生産 する		sản xuất	ผลิต
	seisan		memproduksi	ထုတ်လုပ်သည်

毎年 車を 70万台 生産して います。

We produce 700,000 vehicles each year. / 每年生产 70 万辆汽车。

Chúng tôi sản xuất 700.000 ô tô mỗi năm.

ทุกปีจะผลิตรถยนต์ 7 แสนคันครับ/ค่ะ

Memproduksi 700 ribu unit mobil setiap tahun.

နှစ်စဉ်ကားအစီးရေ7သိန်းကို ထုတ်လုပ်လျက်ရှိပါသည်။

	せいぞう		manufacture	制造
007	製造 する		chế tạo	ผลิต
	seizō		memproduksi	ကုန်ထုတ်လုပ်သည်

部品は タイで 製造して います。

We manufacture the parts in Thailand. / 零件是在泰国制造。

Chúng tôi chế tạo linh kiện tại Thái Lan.

ผลิตชิ้นส่วนที่ประเทศไทยครับ/ค่ะ

Suku cadang diproduksi di Thailand.

အစိတ်အပိုင်းများကို ထိုင်းတွင် ကုန်ထုတ်လုပ်လျက်ရှိပါသည်။

□ 008	のうき **納期** nōki	the delivery date/ deadline thời hạn giao hàng/ hạn chót waktu pengiriman/ batas waktu	交货期 กำหนดส่งมอบ ပေးပို့ရမည့်အချိန်

納期に　遅れないで　ください。
Please be sure it is delivered on time. / 请不要延误交货期。
Vui lòng đừng chậm trễ thời hạn giao hàng.
อย่าส่งงานช้ากว่ากำหนดส่งมอบนะครับ/ค่ะ
Mohon jangan terlambat waktu pengirimannya.
ပေးပို့ရမည့်အချိန်ကို နောက်မကျပါစေနှင့်။

□ 009	しゅっか **出荷** する shukka　　　　　→ p.78	ship xuất (sản phẩm) đi mengirim	出货 จัดส่ง(ของ)ออกไป တင်ပို့သည်

製品を　出荷します。
We ship products. / 产品发货。
Chúng tôi xuất sản phẩm đi.
จะจัดส่งผลิตภัณฑ์ออกไปครับ/ค่ะ
Mengirim produk.
ထုတ်ကုန်များကို တင်ပို့ပါမည်။

□ 010	ざいこ **在庫** zaiko	stock tồn kho stok	库存 สต็อก လက်ကျန်ပစ္စည်း

部品の　在庫が　ありません。
Those parts are out of stock. / 零件没有库存。
Không có tồn kho linh kiện.
ชิ้นส่วนในสต็อกไม่มีครับ/ค่ะ
Stok suku cadang tidak ada.
အစိတ်အပိုင်းများရဲ့ လက်ကျန်ပစ္စည်း မရှိပါ။

ユニット 2

製造
せいぞう

Manufacturing	制造
Chế tạo	การผลิต
Manufaktur	ကုန်ထုတ်လုပ်ရေး

	きかい	machinery	机械
011	**機械**	máy móc	เครื่องจักร
	kikai	mesin	စက်ပစ္စည်း

機械が 故障して います。
き かい　　こ しょう

The machinery is broken down. / 机器出故障了。
Máy đang bị hỏng.
เครื่องจักรชำรุดอยู่ครับ/ค่ะ
Mesin rusak.
စက်ပစ္စည်းပျက်နေပါသည်။

	ぶひん	part	零件
012	**部品**	linh kiện	ชิ้นส่วน
	buhin	suku cadang	ပစ္စည်းအစိတ်အပိုင်း

工場で 車の 部品を 作って います。
こうじょう　くるま　ぶ ひん　　つく

The factory produces auto parts. / 在工厂生产汽车零件。
Chúng tôi chế tạo các linh kiện ô tô tại nhà máy.
ผลิตชิ้นส่วนของรถยนต์ที่โรงงานครับ/ค่ะ
Membuat suku cadang mobil di pabrik.
စက်ရုံတွင် ကားပစ္စည်းအစိတ်အပိုင်းများကို ထုတ်လုပ်လျက်ရှိပါသည်။

	ざいりょう	material	材料
013	**材料**	nguyên liệu	วัตถุดิบ
	zairyō	bahan baku	ကုန်ကြမ်း

材料を 発注します。
ざいりょう　　はっちゅう

We order materials. / 订购材料。
Chúng tôi đặt mua nguyên liệu.
สั่งซื้อวัตถุดิบครับ/ค่ะ
Memesan bahan baku.
ကုန်ကြမ်းများကို အော်ဒါမှာယူပါမည်။

☐ 014	かこう **加工** する kakō	process gia công mengolah	加工 แปรรูป ကုန်ချောထုတ်လုပ်သည်

<ruby>金属<rt>きんぞく</rt></ruby>を　<ruby>加工<rt>か こう</rt></ruby>します。
We process metal materials. / 加工金属。
Chúng tôi gia công kim loại.
แปรรูปโลหะครับ/ค่ะ
Mengolah logam.
သတ္တုကို ကုန်ချောထုတ်လုပ်ပါမည်။

☐ 015	くみたてる **組み立てる** kumitateru	assemble lắp ráp merakit	组装 ประกอบ တပ်ဆင်သည်

<ruby>製品<rt>せいひん</rt></ruby>を　<ruby>組<rt>く</rt></ruby>み<ruby>立<rt>た</rt></ruby>てます。
We assemble products. / 组装产品。
Chúng tôi lắp ráp sản phẩm.
ประกอบผลิตภัณฑ์ครับ/ค่ะ
Merakit produk.
အစိတ်အပိုင်းများကို တပ်ဆင်ပါမည်။

☐ 016	けんさ **検査** する kensa	inspect kiểm tra memeriksa	检查 ตรวจสอบ စစ်ဆေးသည်၊ စမ်းသပ်သည်

<ruby>出荷<rt>しゅっ か</rt></ruby>の　<ruby>前<rt>まえ</rt></ruby>に　<ruby>製品<rt>せいひん</rt></ruby>を　<ruby>検査<rt>けん さ</rt></ruby>します。
We inspect products before shipping. / 发货前检查产品。
Chúng tôi kiểm tra sản phẩm trước khi xuất hàng đi.
ตรวจสอบผลิตภัณฑ์ก่อนจัดส่งครับ/ค่ะ
Memeriksa produk sebelum pengiriman.
မတင်ပို့မီ ထုတ်ကုန်များကို စစ်ဆေးပါမည်။

☐ 017	はこぶ **運ぶ** hakobu	carry vận chuyển mengangkut	搬运 ขนย้าย သယ်ဆောင်သည်

<ruby>段<rt>だん</rt></ruby>ボールを　<ruby>運<rt>はこ</rt></ruby>んで　ください。
Please carry the cardboard boxes. / 请搬纸箱。
Hãy vận chuyển thùng các tông.
กรุณาขนลังกระดาษด้วยครับ/ค่ะ
Tolong angkut kardus.
ကတ်ထူပုံးကို သယ်ဆောင်ပါ။

	もちあげる	lift	挙起
018	**持ち上げる**	nâng lên	ยกขึ้น
	mochiageru	mengangkat	မ တင်သည်

ちょっと　この　機械(きかい)を　持(も)ち上(あ)げますよ。
We are going to lift this machine up a bit. / 稍微抬一下这台机器。
Chúng ta nâng cái máy này lên một tí.
จะยกเครื่องจักรนี้ขึ้นหน่อยนะครับ/ค่ะ
Saya akan mengangkat mesin ini sebentar.
ဒီစက်ပစ္စည်းကို နည်းနည်းလောက် မ တင်မယ်နော်။

	やりなおす	do again	返工
019	**やり直す**	làm lại	แก้ไขใหม่
	yarinaosu	mengulang	ပြန်ပြင်သည်

もう　一度(いちど)　やり直(なお)して　ください。
Please do it again. / 请再试一次。
Hãy làm lại một lần nữa.
กรุณาแก้ไขใหม่อีกครั้งครับ/ค่ะ
Tolong diulang sekali lagi.
နောက်တစ်ကြိမ် ပြန်ပြင်ပါ။

	こうてい	process	工序
020	**工程**	công đoạn	ขั้นตอน/กระบวนการ
	kōtei	proses	လုပ်ငန်းစဉ်အဆင့်ဆင့်

作業(さぎょう)の　工程(こうてい)を　確認(かくにん)します。
We will check the work process. / 确认作业工序。
Chúng tôi kiểm tra các công đoạn làm việc.
ตรวจสอบกระบวนการของงานอีกครั้งครับ/ค่ะ
Memastikan proses kerja.
လုပ်ငန်းစဉ်အဆင့်ဆင့်ကို စစ်ဆေးပါမည်။

あんぜん
安全

Safety	安全
An toàn	ความปลอดภัย
Keselamatan	ဘေးကင်းလုံခြုံမှု

	あんぜん **安全** anzen	safety	安全
021		an toàn	ความปลอดภัย
		keselamatan	ဘေးကင်းလုံခြုံမှု

あんぜんだいいち　ねが
安全第一で　お願いします。
Please put safety first. / 安全第一。
Hãy đặt sự an toàn lên trên hết.
"ปลอดภัยไว้ก่อน" ด้วยนะครับ/ค่ะ
Tolong utamakan keselamatan.
ဘေးကင်းလုံခြုံမှုပထမဦးစားပေးပြီးလုပ်ပါ။

	きんきゅうじたい **緊急事態** kinkyū-jitai	emergency	緊急情況
022		tình trạng khẩn cấp	สถานการณ์ฉุกเฉิน
		situasi darurat	အရေးပေါ်အခြေအနေ

きんきゅう じ たい　そと　で
緊急事態です。外へ　出て　ください。
This is an emergency. Please go outside. / 緊急情況。请出去。
Tình trạng khẩn cấp. Hãy đi ra ngoài.
นี่เป็นสถานการณ์ฉุกเฉิน กรุณาออกไปข้างนอกด้วยครับ/ค่ะ
Situasi darurat. Pergilah ke luar.
အရေးပေါ်အခြေအနေဖြစ်ပါသည်။ အပြင်ကိုထွက်ပါ။

	ひじょうぐち **非常口** hijōguchi	emergency exit	安全出口
023		lối thoát hiểm	ทางออกฉุกเฉิน
		pintu keluar darurat	အရေးပေါ်ထွက်ပေါက်

ひ じょうぐち
非常口は　あそこですよ。
The emergency exit is over there. / 安全出口在那边。
Lối thoát hiểm ở đằng kia đấy.
ทางออกฉุกเฉินอยู่ทางโน้นครับ/ค่ะ
Pintu keluar darurat ada di sana.
အရေးပေါ်ထွက်ပေါက်က ဟိုဘက်မှာပါ။

024	ひなん **避難** (する) hinan	evacuate	避难
		lánh nạn	อพยพ
		evakuasi	ထွက်ပြေးတိမ်းရှောင်ခြင်း

すぐ 外へ 避難して ください。

Please evacuate outside immediately. / 请马上到外面避难。

Hãy lánh nạn ra bên ngoài ngay lập tức.

กรุณาอพยพไปข้างนอกทันทีครับ/ค่ะ

Segeralah evakuasi ke luar.

ချက်ချင်းအပြင်သို့ ထွက်ပြေးတိမ်းရှောင်ပါ။

025	かさい **火災** kasai	fire	火灾
		hoả hoạn	อัคคีภัย
		kebakaran	မီးလောင်ခြင်း

火災は 119番に 連絡して ください。

Please dial 119 to report a fire. / 火灾请拨打 119。

Khi có hỏa hoạn, hãy gọi số 119.

กรุณาติดต่อหมายเลข 119 เมื่อเกิดอัคคีภัยครับ/ค่ะ

Hubungilah 119 jika kebakaran.

မီးလောင်ပါက 119နံပါတ်သို့ ဆက်သွယ်ပါ။

026	じこ **事故** jiko	accident	事故
		tai nạn	อุบัติเหตุ
		kecelakaan	မတော်တဆမှု

今朝 電車の 事故が ありました。

There was a train accident this morning. / 今天早上发生了电车事故。

Đã có tai nạn tàu điện sáng nay.

เมื่อเช้านี้มีอุบัติเหตุรถไฟเกิดขึ้นครับ/ค่ะ

Tadi pagi ada kecelakaan kereta.

ယခုမနက် ရထားမတော်တဆမှု ဖြစ်ခဲ့ပါသည်။

027	けが **怪我** (する) kega	get injured	受伤
		bị thương	บาดเจ็บ
		cedera	ဒဏ်ရာရခြင်း

怪我や 事故に 注意して ください。

Be careful not to get injured or involved in an accident. / 请注意受伤和事故。

Hãy chú ý tai nạn và thương tích.

กรุณาระวังเรื่องการบาดเจ็บและอุบัติเหตุด้วยครับ/ค่ะ

Berhati-hatilah agar tidak cedera atau kecelakaan.

ဒဏ်ရာရခြင်းနှင့် မတော်တဆမှုများကို သတိထားပါ။

	ろうさい	industrial accident	工伤
028	**労災**	tai nạn lao động	อุบัติเหตุจากการทำงาน
	rōsai	kecelakaan kerja	လုပ်ငန်းခွင်တွင်း မတော်မဆဖြစ်ပေါ်မှု

今月 労災が 2回 ありました。

There were two industrial accidents on the job this month. / 本月发生了两次工伤。

Tháng này đã xảy ra 2 vụ tai nạn lao động.

เดือนนี้มีอุบัติเหตุจากการทำงานเกิดขึ้น 2 ครั้งครับ/ค่ะ

Ada dua kecelakaan kerja bulan ini.

ယခုလတွင် လုပ်ငန်းခွင်တွင်းမတော်မဆဖြစ်ပေါ်မှု 2ကြိမ်ဖြစ်ပွားခဲ့ပါသည်။

<ruby>5S<rt>ごえす</rt></ruby>

☐
029

ごえす

5S

goesu

---

029 <ruby>5S<rt>ごえす</rt></ruby>

<ruby>整理<rt>せいり</rt></ruby>（Seiri）、<ruby>整頓<rt>せいとん</rt></ruby>（Seiton）、<ruby>清掃<rt>せいそう</rt></ruby>（Seisō）、<ruby>清潔<rt>せいけつ</rt></ruby>（Seiketsu）、しつけ（Shitsuke）、の<ruby>頭文字<rt>かしらもじ</rt></ruby>Sをとったもの。<ruby>職場環境<rt>しょくばかんきょう</rt></ruby>を<ruby>整<rt>とと</rt></ruby>えるために<ruby>組織全員<rt>そしきぜんいん</rt></ruby>で<ruby>取<rt>と</rt></ruby>り<ruby>組<rt>く</rt></ruby>むこと。

A word made up of the initial letters of Seiri (sort), Seiton (put in order), Seisō (clean up), Seiketsu (clean), and Shitsuke (sustain), it is used to indicate the efforts made by everyone in the organization to maintain the workplace environment.

5S 的 S 是取日语发音的整理（Seiri）、整顿（Seiton）、清扫（Seisō）、清洁（Seiketsu）、素养（Shitsuke），这五个词的第一个字母。为了完善职场环境，组织全体人员必须落实的行动。

Đây là từ viết tắt lấy chữ S đầu tiên của các từ Seiri (Sàng lọc), Seiton (Sắp xếp), Seisō (Vệ sinh sạch sẽ), Seiketsu (Sạch sẽ), Shitsuke (Sẵn sàng). Tất cả thành viên của tổ chức phải luôn nỗ lực thực hiện 5S để tạo nên một môi trường làm việc ngăn nắp, sạch sẽ.

ย่อมาจากอักษร S ตัวแรกของคำว่า สะสาง (Seiri), สะดวก (Seiton), สะอาด (Seisō), สุขลักษณะ (Seiketsu), สร้างนิสัย (Shitsuke) ซึ่งเป็นสิ่งที่สมาชิกในองค์กรทุกคนต้องทำ เพื่อจัดจระเบียบสภาพแวดล้อมของสถานที่ทำงาน

Ringkas (Seiri), Rapi (Seiton), Resik (Seisō), Rawat (Seiketsu), dan Rajin (Shitsuke) adalah kepanjangan dari 5R (5S) yang diambil huruf depannya. Untuk merapikan lingkungan kerja maka perlu dilaksanakan oleh semua orang dalam organisasi.

Seiri(ရှင်းလင်းခြင်း)၊Seiton(ညီညာသေသပ်အောင်ပြုလုပ်ခြင်း)၊ Seisō(သန့်ရှင်းရေးပြုလုပ်ခြင်း)၊Seiketsu (သန့်ရှင်းသပ်ရပ်ခြင်း)၊ Shitsuke(စည်းကမ်း)စသည်တို့မှအစစကားလုံး S ကိုယူထားသည်။
လုပ်ငန်းခွင်ပတ်ဝန်းကျင်ကိုစီမံလုပ်ဆောင်ရန်ဝန်ထမ်း
အားလုံးကပူးပေါင်းလုပ်ကိုင်ခြင်း။

□ 030	せいり**整理** する seiri	sort	整理
		sàng lọc	สะสาง
		mengatur (Ringkas)	ရှင်းလင်းခြင်း

工具箱を 整理しましょう。

Let's sort out the toolbox. / 整理工具箱吧。

Hãy cùng sàng lọc hộp dụng cụ nào.

สะสางของที่อยู่ในกล่องเครื่องมือกันเถอะครับ/ค่ะ

Atur isi kotak peralatan (Seiri/Ringkas).

ကိရိယာများထည့်သည့်သေတ္တာကို ရှင်းလင်းကြရအောင်။

要るものと要らないものを分けて、要らないものを捨てること。

To sort things into what is needed and not needed, and to throw away the not needed items.

区别开要和不要的东西，扔掉不要的东西。

Đây là công việc phân chia vật cần thiết và vật không cần thiết, sau đó vứt bỏ vật không cần thiết.

การสะสางแยกแยะของที่จำเป็นและไม่จำเป็นออกจากกัน และกำจัดของที่ไม่จำเป็นทิ้ง

Memilah barang yang diperlukan dan yang tidak diperlukan, lalu membuang barang yang tidak diperlukan.

လိုအပ်သောအရာနဲ့ မလိုအပ်သောအရာကို ခွဲခြားပြီးမလိုအပ်သော အရာများကို လွှင့်ပစ်ခြင်း။

□ 031	せいとん**整頓** する seiton	put in order	整頓
		sắp xếp	สะดวกต่อการหา/จัดของให้ใช้สะดวก
		menata (Rapi)	ညီညာသေသပ်အောင် ပြုလုပ်ခြင်း

倉庫の 部品を 整頓します。

We put the parts in the warehouse in order. / 整理仓库的零件。

Chúng tôi sắp xếp các linh kiện trong kho.

จัดระเบียบของในโกดังให้สะดวกต่อการใช้งานครับ/ค่ะ

Menata suku cadang di gudang (Seiton/Rapi).

ဂိုဒေါင်၏အစိတ်အပိုင်းများကို စီစီရီရီထားရှိပါမည်။

必要な時にすぐ取り出せるように配置すること。

To arrange things so that they can be accessed immediately when needed.

摆放成必要时可以马上取出的状态。

Đây là công việc bố trí các vật dụng sao cho có thể lấy ra ngay khi cần.

การจัดวางให้สามารถนำออกมาได้ทันทีเมื่อจำเป็น

Menempatkan sesuatu agar dapat segera diambil ketika dibutuhkan.

လိုအပ်သော အချိန်တွင် ချက်ချင်း ထုတ်ယူနိုင်ရန် စီစဉ်ထားခြင်း။

	せいそう	clean up	清扫
032	**清掃** (する)	vệ sinh sạch sẽ	สะอาด
	seisō	membersihkan (Resik)	သန့်ရှင်းခြင်း

作業場^{さぎょうば}を 清掃^{せいそう}してから 帰^{かえ}ります。

We will clean up the work place before leaving. / 打扫完车间再回家。

Chúng tôi dọn vệ sinh sạch sẽ nơi làm việc trước khi ra về.

ทำความสะอาดสถานที่ทำงานแล้วค่อยกลับบ้านครับ/ค่ะ

Pulang setelah membersihkan tempat kerja (Seisō/Resik).

လုပ်ငန်းခွင်ကို သန့်ရှင်းပြီးမှ ပြန်ပါမည်။

掃除^{そうじ}して整理^{せいり}・整頓^{せいとん}の状態^{じょうたい}を保^{たも}つこと。

To clean up and keep them in order.

打扫保持整理及整顿的状态。

Đây là công việc quét dọn sạch sẽ để duy trì trạng thái đã được sàng lọc, sắp xếp.

ทำความสะอาดเพื่อรักษาสภาพสะสาง·สะดวกเอาไว้

Mempertahankan kondisi ringkas dan rapi dengan bersih-bersih.

သန့်ရှင်းရေးလုပ်ကာ ရှင်းလင်းနေသော၊ ညီညာသေသပ်အောင် ပြုလုပ်ထားသော အခြေအနေ၌ ထားခြင်း။

	せいけつ	clean	清洁
033	**清潔**	sạch sẽ	สุขลักษณะ
	seiketsu	menjaga tetap bersih (Rawat)	သန့်ရှင်းသပ်ရပ်ခြင်း

ロッカールームは 清潔^{せいけつ}に 使^{つか}いましょう。

Let's keep the locker room clean. / 要干净地使用更衣室。

Hãy sử dụng phòng thay đồ một cách sạch sẽ.

ใช้ห้องล็อกเกอร์อย่างสะอาดถูกสุขลักษณะกันเถอะครับ/ค่ะ

Gunakan locker room dengan bersih (Seiketsu/Rawat).

locker room ကိုသန့်ရှင်းစွာ အသုံးပြုကြရအောင်။

整理^{せいり}、整頓^{せいとん}、清掃^{せいそう}をし、きれいな状態^{じょうたい}を保^{たも}つこと。

To sort, put things in order, clean them, and keep them clean.

整理、整顿、清扫，保持干净的状态。

Đây là việc duy trì trạng thái sạch sẽ, ngăn nắp sau khi thực hiện sàng lọc, sắp xếp và vệ sinh sạch sẽ.

ทำการสะสาง, สะดวก, สะอาด เพื่อรักษาสภาพความสะอาดเอาไว้

Mempertahankan kondisi bersih dengan cara melakukan ringkas, rapi, dan resik.

ရှင်းလင်းခြင်း။ ညီညာသေသပ်အောင်ပြုလုပ်ခြင်း။ သန့်ရှင်းရေးပြုလုပ်ခြင်းများ လုပ်ကာ သပ်ရပ်သော အခြေအနေ၌ ထားခြင်း။

	しつけ	sustain	素養
034	**しつけ**	sẵn sàng	สร้างนิสัย
	shitsuke	pendisiplinan (Rajin)	စည်းကမ်း

ごあけ
5S の　5番目は　「しつけ」　です。

The fifth "S" in 5S is "shitsuke," which means "sustain." / 5S 的第五个是 "**素养**"。

Mục thứ 5 trong 5S là "Sẵn sàng".

ข้อที่ 5 ของ 5 ส.คือ "การสร้างนิสัย" ครับ/ค่ะ

Nomor lima dari 5S (5R) adalah Shitsuke (Rajin).

5S ၏ 5ခုမြောက်သည် "စည်းကမ်း" ဖြစ်ပါသည်။

ぜんいん　　　　　せいり　せいとん　せいそう　せいけつ　　きほんてき　　　　まも　しゅうかん
全員が 4S（整理、整頓、清掃、清潔）や基本的なルールを守る習慣をつける
こと。

To teach all members of the workplace to observe the 4S principles (sort, put in order, clean up, and clean) and basic rules.

教育所有人都要养成遵守 4S（整理、整顿、清扫、清洁）和基本规则的习惯。

Tất cả mọi người phải tạo cho mình thói quen luôn tuân thủ 4S (Sàng lọc, Sắp xếp, Vệ sinh sạch sẽ, Sạch sẽ) và các quy tắc cơ bản.

การที่ทุกคนสามารถรักษา 4S (สะสาง, สะดวก, สะอาด, สุขลักษณะ) หรือกฎพื้นฐานเอาไว้เป็นกิจวัตรประจำวัน

Membiasakan semua orang melakukan 4R (Ringkas, Rapi, Resik, dan Rawat) dan mematuhi aturan dasar.

လုပ်တိုင်း 4S (ရှင်းလင်းခြင်း။ ညီညာသေသပ်အောင်ပြုလုပ်ခြင်း။ သန့်ရှင်းရေးပြုလုပ်ခြင်း။ သန့်ရှင်းသပ်ရပ်ခြင်း) နှင့် အခြေခံစည်းမျဉ်းများကို လိုက်နာသော အလေ့အထကို မွေးမြူခြင်း။

とらぶる
トラブル

		Trouble	问题
		Sự cố	ปัญหา
		Masalah	ပြဿနာ

☐ 035	とらぶる **トラブル** toraburu	trouble	问题
		sự cố	ปัญหา
		masalah	ပြဿနာ

機械の　トラブルが　ありました。
There was trouble with the machinery. / 机器发生了问题。
Đã có sự cố máy móc xảy ra.
เครื่องจักรมีปัญหาครับ/ค่ะ
Ada masalah mesin.
စက်ပစ္စည်းတွင် ပြဿနာရှိခဲ့ပါသည်။

☐ 036	みす **ミス** [する] misu	make a mistake	错误
		lỗi	ความผิดพลาด
		kesalahan	အမှား

ミスは　報告しなければ　なりません。
You must report mistakes. / 失误必须报告。
Bạn phải báo cáo khi có lỗi.
ต้องรายงานความผิดพลาดด้วยครับ/ค่ะ
Kesalahan harus dilaporkan.
အမှားကို အစီရင်ခံ၍မရပါ။

☐ 037	ふりょうひん **不良品** furyōhin	defective products	不良品／残次品
		hàng lỗi	ของไม่ผ่านมาตรฐาน/งานเสีย/ของเสีย
		produk cacat	အပြစ်အနာအဆာရှိသောပစ္စည်း

不良品を　検査します。
We inspect the defective products. / 检查不良品。
Kiểm tra hàng lỗi.
ตรวจสอบของไม่ผ่านมาตรฐานครับ/ค่ะ
Memeriksa produk cacat.
အပြစ်အနာအဆာရှိသောပစ္စည်းများကို စစ်ဆေးပါမည်။

		be out of stock	缺货
☐ 038	けっぴん 欠品 (する) keppin	thiếu hàng	(ของ)ไม่ครบ/ (ของ)ขาด
		kehabisan stok	ပစ္စည်းပြတ်ခြင်း

<ruby>製<rt>せい</rt></ruby><ruby>品<rt>ひん</rt></ruby>の <ruby>欠品<rt>けっぴん</rt></ruby>を <ruby>連絡<rt>れんらく</rt></ruby>します。

We will inform you when we are out of stock. / 通知产品缺货。

Chúng tôi sẽ liên hệ khi thiếu hàng.

ติดต่อเรื่องของที่ไม่ครบครับ/ค่ะ

Memberitahu stok produk kosong.

ထုတ်ကုန်ပစ္စည်းများ ပစ္စည်းပြတ်သွားလျှင် အကြောင်းကြားပါမည်။

		bug/failure	不良状况
☐ 039	ふぐあい 不具合 fuguai	hư hỏng	ความบกพร่อง
		cacat/kerusakan	ချွတ်ယွင်းမှု

<ruby>機械<rt>きかい</rt></ruby>の <ruby>不具合<rt>ふぐあい</rt></ruby>を <ruby>調<rt>しら</rt></ruby>べて います。

We are investigating a failure with the machinery. / 我在检查机器的不良状况。

Chúng tôi điều tra tình trạng hư hỏng của máy móc.

กำลังตรวจหาความบกพร่องของเครื่องจักรอยู่ครับ/ค่ะ

Sedang memeriksa kerusakan mesin.

စက်ပစ္စည်း၏ချွတ်ယွင်းမှုကို လေ့လာစစ်ဆေးနေပါသည်။

		complaint	投诉
☐ 040	くれーむ クレーム kurēmu	khiếu nại	การร้องเรียน/ การตำหนิ
		klaim/komplain	complain

<ruby>今月<rt>こんげつ</rt></ruby>は 10<ruby>回<rt>かい</rt></ruby> クレームが ありました。

We received 10 complaints this month. / 本月有 10 次投诉。

Đã có 10 khiếu nại trong tháng này.

เดือนนี้มีการร้องเรียนเข้ามา 10 ครั้งครับ/ค่ะ

Ada 10 klaim bulan ini.

ယခုလတွင် complain 10ကြိမ် ရှိခဲ့ပါသည်။

		break	故障／坏
☐ 041	こわれる 壊れる kowareru	hỏng	เสีย/พัง
		rusak	ပျက်စီးသည်

その <ruby>機械<rt>きかい</rt></ruby>は <ruby>壊<rt>こわ</rt></ruby>れて いますよ。

That machine is broken. / 那台机器坏了哦。

Máy này bị hỏng rồi.

เครื่องจักรเครื่องนั้นเสียครับ/ค่ะ

Mesin itu rusak.

ထိုစက်ပစ္စည်းသည် ပျက်စီးနေပါသည်။

	しゅうり	repair	修理
042	修理 (する)	sửa chữa	ซ่อมแซม
	shūri	memperbaiki	ပြုပြင်သည်

この　機械を　修理して　ください。

Please repair this machine. / 请修理这台机器。

Hãy sửa máy này giùm.

กรุณาซ่อมเครื่องจักรนี้ด้วยครับ/ค่ะ

Tolong perbaiki mesin ini.

ကျွစက်ပစ္စည်းကို　ပြုပြင်ပါ။

	きを　つける	be careful	小心
043	気を　付ける	cẩn thận	ระมัดระวัง
	ki o tsukeru	berhati-hati	သတိထားသည်

危ないですよ。気を　付けて　ください。

Be careful. It's dangerous. / 危险。请小心。

Nguy hiểm đó. Hãy cẩn thận!

อันตรายนะครับ/ค่ะ กรุณาระมัดระวังด้วย

Berbahaya, lho. Tolong hati-hati.

အန္တရာယ်ရှိတယ်နော်။ သတိထားပါ။

しゃいん
社員

Employee	员工
Nhân viên chính thức	พนักงาน
Karyawan	ဝန်ထမ်း

	たんとうしゃ	person in charge	负责人
044	**担当者**	người phụ trách	ผู้รับผิดชอบ
	tantōsha	penanggung jawab	တာဝန်ခံ

やまもと さんは けんしゅうの たんとうしゃです。
山本さんは 研修の 担当者です。
Mr. Yamamoto is in charge of training. / 山本先生是研修的负责人。
Ông Yamamoto là người phụ trách đào tạo.
คุณยามาโมโตะเป็นผู้รับผิดชอบการฝึกอบรมครับ/ค่ะ
Pak Yamamoto adalah penanggung jawab pelatihan.
မစ္စတာယာမမိုတို့ သည် လေ့ကျင့်ရေးတာဝန်ခံဖြစ်ပါသည်။

	どうりょう	colleague	同事
045	**同僚**	đồng nghiệp	เพื่อนร่วมงาน
	dōryō	rekan kerja	လုပ်ဖော်ကိုင်ဖက်

きょうは どうりょうと いっしょに さぎょうしました。
今日は 同僚と 一緒に 作業しました。
Today we worked together with our colleagues. / 今天和同事一起作业了。
Hôm nay chúng tôi đã cùng làm việc với đồng nghiệp.
วันนี้ทำงานร่วมกับเพื่อนร่วมงานครับ/ค่ะ
Hari ini bekerja bersama dengan rekan kerja.
ဒီနေ့ လုပ်ဖော်ကိုင်ဖက်နှင့်အတူတူ အလုပ်လုပ်ခဲ့ပါသည်။

	せんぱい	senior colleague	前辈
046	**先輩**	đàn anh	รุ่นพี่
	senpai	senior	စီနီယာ

せんぱいに くみたてかたを ならいます。
先輩に 組み立て方を 習います。
We learn assembly from senior colleagues. / 向前辈学习组装方法。
Chúng tôi học cách lắp ráp từ các bậc đàn anh.
เรียนรู้การประกอบชิ้นส่วนจากรุ่นพี่ครับ/ค่ะ
Belajar cara merakit dari senior.
စီနီယာထံတွင် တပ်ဆင်နည်းကို သင်ယူပါမည်။

□ 047	こうはい **後輩** kōhai	junior colleague	后辈
		đàn em	รุ่นน้อง
		junior	ဂျူနီယာ

後輩(こうはい)に　作業(さぎょう)を　教(おし)えます。
We teach junior colleagues to do the work. / 教后辈工作。
Chúng tôi hướng dẫn công việc cho đàn em.
สอนงานให้รุ่นน้องครับ/ค่ะ
Mengajari junior tentang pekerjaan.
ဂျူနီယာအားအလုပ်ကိုသင်ပြပေးပါမည်။

□ 048	しゃいん **社員** shain	employee	员工
		nhân viên chính thức	พนักงาน
		karyawan	ဝန်ထမ်း

社員(しゃいん)は　何人(なんにん)　いますか。
How many employees are there? / 有多少名员工?
Có tất cả bao nhiêu nhân viên chính thức?
มีพนักงานกี่คนครับ/คะ
Ada berapa orang karyawan?
ဝန်ထမ်း ဘယ်နှစ်ဦးရှိပါသလဲ။

□ 049	がいこくじん **外国人** gaikokujin	people from other countries	外国人
		người nước ngoài	คนต่างชาติ
		orang asing	နိုင်ငံခြားသားဝန်ထမ်း

外国人社員(がいこくじんしゃいん)は　10人(にん)　います。
There are 10 employees from other countries. / 有 10 名外籍员工。
Công ty có 10 nhân viên người nước ngoài.
พนักงานต่างชาติมี 10 คนครับ/ค่ะ
Karyawan asing ada 10 orang.
နိုင်ငံခြားသားဝန်ထမ်းသည် 10ဦး ရှိပါသည်။

□ 050	あるばいと **アルバイト** する arubaito	work part-time	临时工
		công việc bán thời gian	งานพิเศษ
		bekerja paruh waktu	အချိန်ပိုင်းအလုပ်

工場(こうじょう)で　アルバイトを　して　います。
I work part-time at the factory. / 我在工厂做临时工。
Tôi đang làm công việc bán thời gian tại nhà máy.
ทำงานพิเศษที่โรงงานครับ/ค่ะ
Saya bekerja paruh waktu di pabrik.
စက်ရုံတွင် အချိန်ပိုင်းအလုပ် လုပ်နေပါသည်။

	けんしゅうせい	trainee	研修生／实习生
051	研修生	thực tập sinh	ผู้ฝึกอบรม
	kenshūsei	peserta pelatihan	လေ့ကျင့်ရေး သင်တန်းသား

<ruby>私<rt>わたし</rt></ruby>は　ABC　<ruby>工場<rt>こうじょう</rt></ruby>の　<ruby>研修生<rt>けんしゅうせい</rt></ruby>です。

I am a trainee at the ABC factory. / 我是 ABC 工厂的研修生。

Tôi là thực tập sinh tại nhà máy ABC.

ผมดิฉันเป็นผู้ฝึกอบรมของโรงงาน ABC ครับ/ค่ะ

Saya adalah peserta pelatihan di pabrik ABC.

ကျွန်တော်သည် ABCစက်ရုံ၏ လေ့ကျင့်ရေးသင်တန်းသားဖြစ်ပါသည်။

	しどういん	trainer/instructor	指导员
052	指導員	người hướng dẫn	ผู้ฝึกสอน
	shidōin	instruktur/pengajar/pelatih	နည်းပြ၊ ညွှန်ကြားသူ

<ruby>指導員<rt>しどういん</rt></ruby>に　<ruby>何<rt>なん</rt></ruby>でも　<ruby>相談<rt>そうだん</rt></ruby>して　くださいね。

Please ask your instructor any questions you may have. / 有任何问题请与指导员商量。

Hãy trao đổi với người hướng dẫn về mọi vấn đề nhé.

จะปรึกษาผู้ฝึกสอนเรื่องอะไรก็ได้นะครับ/ค่ะ

Silakan berkonsultasi apa saja dengan instruktur, ya.

နည်းပြထံသို့ မည်သည့်ကိစ္စမဆို တိုင်ပင်ဆွေးနွေးပါနော်။

しょく い やくしょく
職位・役職

Positions	职位・要职
Chức vụ/chức danh	ตำแหน่ง
Posisi	ရာထူး၊ အဆင့်

	しゃちょう	company president	社长
053	**社長**	tổng giám đốc	ผู้จัดการบริษัท
	shachō	presiden direktur perusahaan	သူဌေး

しゃちょう　な まえ　し
社長の　名前を　知って　いますか。

Do you know the name of the company president? / 你知道社长的名字吗?
Bạn có biết tên của tổng giám đốc không?
ทราบชื่อของผู้จัดการบริษัทหรือไม่ครับ/คะ
Tahukah Anda nama presiden direktur perusahaan?
သူဌေး၏နာမည်ကို သိပါသလား။

	こうじょうちょう	factory manager	工场长
054	**工場長**	giám đốc nhà máy	ผู้จัดการโรงงาน
	kōjōchō	kepala pabrik	စက်ရုံမှူး

こうじょうちょう　　　　　　しんせつ
工場長は　とても　親切です。

The factory manager is very kind. / 厂长很亲切。
Giám đốc nhà máy rất tốt bụng.
ผู้จัดการโรงงานใจดีมาก ๆ ครับ/ค่ะ
Kepala pabrik sangat ramah.
စက်ရုံမှူးသည် အလွန်ကြင်နာတတ်ပါသည်။

	ぶちょう	department manager	部长
055	**部長**	trưởng bộ phận	ผู้จัดการฝ่าย
	buchō	general manajer	ဌာနမှူး

せいぞうぶ　　ぶ ちょう　だれ
製造部の　部長は　誰ですか。

Who is the manager of the Manufacturing Department? / 制造部的部长是谁?
Trưởng bộ phận sản xuất là ai?
ใครคือผู้จัดการฝ่ายการผลิตหรือครับ/คะ
Siapa general manajer departemen manufaktur?
ကုန်ထုတ်လုပ်မှုဌာန၏ဌာနမှူးသည် မည်သူနည်း။

		section manager	科长
056	かちょう	trưởng phòng	ผู้จัดการแผนก
	課長		
	kachō	manajer	ဌာနစိတ်မှူး

田中さんは 営業課長に なりました。

Mr. Tanaka has been appointed the sales manager. / 田中先生当上了营业科长。

Ông Tanaka đã trở thành trưởng phòng kinh doanh.

คุณทานากะได้เป็นผู้จัดการแผนกเซลล์แล้วครับ/ค่ะ

Pak Tanaka telah menjadi manajer pemasaran.

မစ္စတာတာနကသည် အရောင်းဌာနစိတ်မှူး ဖြစ်သွားခဲ့ပါသည်။

		superior	上司
057	じょうし	cấp trên	หัวหน้า/เจ้านาย
	上司		
	jōshi	bos/atasan	အထက်လူကြီး

上司に 休みの 連絡を します。

I will tell my superior that I am taking the day off. / 与上司联系申请休息。

Tôi liên lạc với cấp trên để xin nghỉ.

จะแจ้งเรื่องหยุดงานกับหัวหน้าครับ/ค่ะ

Menghubungi atasan mengenai tidak masuk kerja.

အထက်လူကြီးထံ ခွင့်ယူခြင်းကို အကြောင်းကြားပါမည်။

		subordinate	部下
058	ぶか	cấp dưới	ลูกน้อง
	部下		
	buka	bawahan	လက်အောက်ငယ်သား

部下が 5人 います。

I have five subordinates. / 有 5 名部下。

Tôi có 5 nhân viên cấp dưới.

ลูกน้องมี 5 คนครับ/ค่ะ

Bawahan saya ada 5 orang.

လက်အောက်ငယ်သား 5ဦး ရှိပါသည်။

ユニット 8

部署（ぶしょ）

Departments of a company	部门
Phòng ban	แผนก/ฝ่าย
Departemen dalam Perusahaan	ဌာန

059	ぶ **部** bu	department	部
		bộ phận	ฝ่าย
		departemen	ဌာန

ABC社（しゃ）には　6つ（むっ）の　部（ぶ）が　あります。

ABC Co. has six departments. / ABC 公司有 6 个部。

Công ty ABC có 6 bộ phận.

บริษัท ABC มีทั้งหมด 6 ฝ่ายครับ/ค่ะ

Ada 6 departemen di perusahaan ABC.

ABCကုမ္ပဏီတွင် ဌာန6ခု ရှိပါသည်။

060	か **課** ka	section	科
		phòng	แผนก
		divisi	ဌာနစိတ်

同じ（おな）　課（か）の　同僚（どうりょう）に　質問（しつもん）します。

I will ask a colleague on the same section. / 向同一科的同事提问。

Tôi sẽ hỏi đồng nghiệp trong cùng phòng ban.

ถามเพื่อนร่วมงานในแผนกเดียวกันครับ/ค่ะ

Bertanya kepada rekan kerja di divisi yang sama.

ဌာနစိတ်တူ လုပ်ဖော်ကိုင်ဖက်အား မေးခွန်းမေးပါမည်။

059 部（ぶ）　060 課（か）

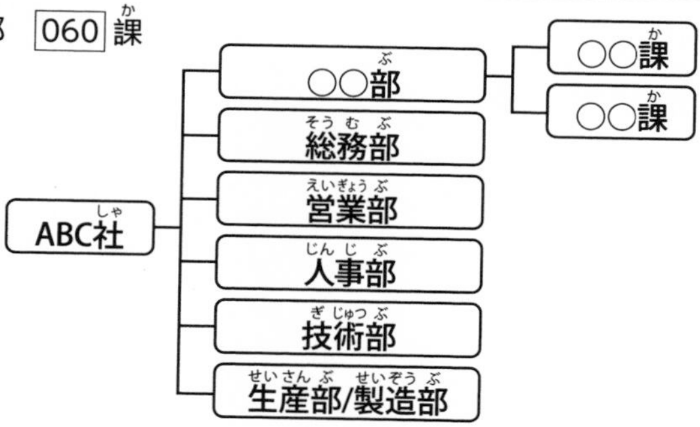

		production department	生産部
□ 061	せいさんぶ **生産部** seisanbu	bộ phận sản xuất	ฝ่ายการผลิต
		departemen produksi	ထုတ်လုပ်ရေးဌာန

せいさん ぶ けんしゅう う
生産部で 研修を 受けて います。

I am being trained in the Production Department. / 我在生产部参加研修。

Tôi đang được đào tạo tại bộ phận sản xuất.

กำลังได้รับการฝึกอบรมที่ฝ่ายการผลิตครับ/ค่ะ

Ikut pelatihan di departemen produksi.

ထုတ်လုပ်ရေးဌာနတွင် သင်တန်းတက်နေပါသည်။

		manufacturing department	制造部
□ 062	せいぞうぶ **製造部** seizōbu	bộ phận chế tạo	ฝ่ายการผลิต
		departemen manufaktur	ကုန်ထုတ်လုပ်ရေးဌာန
□ 063	ぎじゅつぶ **技術部** gijutsubu	engineering department	技術部
		bộ phận kỹ thuật	ฝ่ายวิศวกรรม
		departemen teknik	နည်းပညာဌာန
□ 064	えいぎょうぶ **営業部** eigyōbu	sales department	営業部
		bộ phận kinh doanh	ฝ่ายขาย/ฝ่ายเซลล์
		departemen pemasaran	အရောင်းပိုင်းဌာန
□ 065	そうむぶ **総務部** sōmubu	general affairs department	総務部
		bộ phận hành chính	ฝ่ายทั่วไป/ ฝ่ายธุรการ
		departemen operasional/ urusan umum	အထွေထွေရေးရာဌာန
□ 066	じんじぶ **人事部** jinjibu	human resources department	人事部
		bộ phận nhân sự	ฝ่ายบุคคล
		departemen personalia	လူစွမ်းအားအရင်း အမြစ်ဌာန

業務
ぎょう む

		Duty/work	业务
		Công việc	การปฏิบัติงาน
		Tugas	လုပ်ငန်းတာဝန်

☐ 067	かいはつ **開発** する kaihatsu	develop	开发
		phát triển	พัฒนา
		mengembangkan	တီထွင်ဆန်းသစ်သည်

新しい 製品を 開発して います。
あたら せいひん かいはつ
We are developing new products. / 我在开发新产品。
Chúng tôi đang phát triển sản phẩm mới.
กำลังพัฒนาผลิตภัณฑ์ใหม่อยู่ครับ/ค่ะ
Kami sedang mengembangkan produk baru.
ထုတ်ကုန်အသစ်ကို တီထွင်လျက်ရှိပါသည်။

☐ 068	せっけい **設計** する sekkei	design	设计
		thiết kế	ออกแบบ
		mendesain	ဒီဇိုင်းရေးဆွဲသည်

設計に ミスが ありました。
せっけい
There was a design flaw. / 设计有错误。
Đã có sai sót trong thiết kế.
การออกแบบมีข้อผิดพลาดครับ/ค่ะ
Ada kesalahan pada desain.
ဒီဇိုင်းရေးဆွဲခြင်းတွင် အမှားရှိခဲ့ပါသည်။

☐ 069	めんてなんす **メンテナンス** する mentenansu	maintain	保养
		bảo trì	ซ่อมบำรุง
		melakukan pemeliharaan	maintenance

機械の メンテナンスを します。
き かい
We do maintenance on the machine. / 进行机器的维修。
Chúng tôi thực hiện bảo trì máy.
ซ่อมบำรุงเครื่องจักรครับ/ค่ะ
Melakukan pemeliharaan mesin.
စက်ပစ္စည်းအား maintenance ပြုလုပ်ပါမည်။

25

	ぎょうむ	duty/work	业务
070	**業務**	công việc	ปฏิบัติงาน
	gyōmu	tugas	လုပ်ငန်းတာဝန်

<u>ぎょう む ほうこく</u>
業務報告を　して　ください。
Please report your work progress. / 请做业务报告。
Hãy viết báo cáo công việc.
กรุณารายงานการปฏิบัติงานด้วยครับ/ค่ะ
Tolong buat laporan tugas.
လုပ်ငန်းတာဝန်အစီရင်ခံခြင်းကို ပြုလုပ်ပါ။

	さぎょう	work/operate	作业
071	**作業** (する)	làm việc	ทำงาน
	sagyō	mengerjakan	လုပ်ငန်းလုပ်ဆောင်သည်

<u>せいぞう</u>　　　　<u>さ ぎょう</u>
製造ラインで　作業します。
I work on the manufacturing line. / 在生产线上工作。
Tôi làm việc tại dây chuyền sản xuất.
ทำงานที่สายการผลิตครับ/ค่ะ
Bekerja di line produksi.
ထုတ်လုပ်မှုline တွင် လုပ်ဆောင်ပါမည်။

組織
そしき

Organization	组织
Tổ chức	องค์กร
Organisasi	အဖွဲ့အစည်း

	かいしゃ	company	公司
072	**会社**	công ty	บริษัท
	kaisha	perusahaan	ကုမ္ပဏီ

会社の 寮に 住んで います。
I live in the company dormitory. / 我住在公司宿舍。
Tôi đang sống trong ký túc xá của công ty.
อาศัยอยู่ที่หอพักของบริษัทครับ/ค่ะ
Tinggal di asrama perusahaan.
ကုမ္ပဏီအဆောင်တွင် နေထိုင်လျက်ရှိပါသည်။

	こうじょう	factory/plant	工场
073	**工場**	nhà máy	โรงงาน
	kōjō	pabrik	စက်ရုံ

タイヤ工場は タイに あります。
The tire plant is in Thailand. / 轮胎工厂在泰国。
Nhà máy sản xuất lốp xe ở tại Thái Lan.
โรงงานยางรถยนต์อยู่ในประเทศไทยครับ/ค่ะ
Perusahaan ban ada di Thailand.
တာယာစက်ရုံသည် ထိုင်းတွင် ရှိပါသည်။

	じむしょ	office	事务所
074	**事務所**	văn phòng	สำนักงาน
	jimusho	kantor	ရုံးခန်း

事務所で 日報を 書きます。
I write a daily report at the office. / 我在事务所写日报。
Viết báo cáo hằng ngày tại văn phòng.
เขียนรายงานประจำวันที่สำนักงานครับ/ค่ะ
Menulis laporan harian di kantor.
ရုံးခန်းတွင် နေ့စဉ်အစီရင်ခံစာကို ရေးပါမည်။

	ほんしゃ **本社** honsha	head office	总公司
075		trụ sở chính	สำนักงานใหญ่
		kantor pusat	ရုံးချုပ်

<ruby>東京本社<rt>とうきょうほんしゃ</rt></ruby>へ <ruby>行<rt>い</rt></ruby>った ことが ありますか。
Have you ever been to the Tokyo head office? / 你去过东京总公司吗?
Bạn đã từng đến trụ sở chính ở Tokyo chưa?
เคยไปสำนักงานใหญ่ที่โตเกียวไหมครับ/คะ
Apakah Anda pernah pergi ke kantor pusat Tokyo?
တိုကျိုရုံးချုပ်သို့ သွားဖူးပါသလား။

	ししゃ **支社** shisha	branch office	分公司
076		chi nhánh	สาขา
		kantor cabang	ရုံးခွဲ

こちらは <ruby>大阪支社<rt>おおさかししゃ</rt></ruby>の <ruby>山下<rt>やました</rt></ruby>さんです。
This is Ms. Yamashita from the Osaka Branch. / 这位是大阪分公司的山下女士。
Đây là Bà Yamashita đến từ chi nhánh Osaka.
นี่คือคุณยามาชิตะจากสาขาโอซาก้าครับ/ค่ะ
Ini adalah Bu Yamashita dari kantor cabang Osaka.
ဒီဘက်ကတော့ အိုဆာကာရုံးခွဲမှ ဒေါ်ယာမရှိတ ဖြစ်ပါတယ်။

075 <ruby>本社<rt>ほんしゃ</rt></ruby>　076 <ruby>支社<rt>ししゃ</rt></ruby>

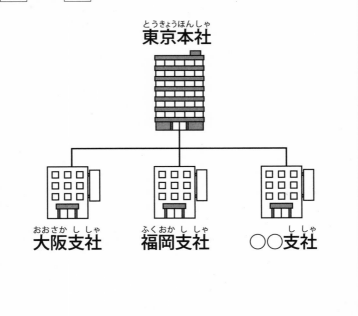

<ruby>東京本社<rt>とうきょうほんしゃ</rt></ruby>

<ruby>大阪支社<rt>おおさかししゃ</rt></ruby>　<ruby>福岡支社<rt>ふくおかししゃ</rt></ruby>　○○<ruby>支社<rt>ししゃ</rt></ruby>

	しょくば	workplace	職場
☐ 077	**職場**	nơi làm việc	ที่ทำงาน
	shokuba	tempat kerja	အလုပ်ခွင်

職場に　着いてから　着替えます。

We change clothes after arriving in the workplace. / 到了单位再换衣服。

Chúng tôi thay trang phục sau khi đến nơi làm việc.

ถึงที่ทำงานแล้วจึงเปลี่ยนชุดครับ/ค่ะ

Berganti baju setelah tiba di tempat kerja.

အလုပ်ခွင်သို့ရောက်ပြီးနောက် အဝတ်အစားလဲပါမည်။

<ruby>就業<rt>しゅうぎょう</rt></ruby>

Working	就业
Việc làm	การเข้าทำงาน
Kerja	အလုပ်ခန့်အပ်ခြင်း

	きゅうけい	have a break	休息
078	**休憩** (する)	nghỉ giải lao	พัก
	kyūkei	beristirahat	အနားယူသည်

12<ruby>時<rt>じ</rt></ruby>から　1<ruby>時間<rt>じかん</rt></ruby>　<ruby>休憩<rt>きゅうけい</rt></ruby>して　ください。

Please take a break for 1 hour from 12:00. / 请从 12 点开始休息一个小时。
Hãy nghỉ giải lao 1 tiếng từ 12 giờ.
กรุณาพัก 1 ชั่วโมง ตั้งแต่ 12 นาฬิกานะครับ/ค่ะ
Silakan istirahat selama 1 jam mulai jam 12.
12နာရီမှ 1နာရီကြာ အနားယူပါ။

	ちこく	come late to work	迟到
079	**遅刻** (する)	đến muộn	ถึงช้ากว่ากำหนด
	chikoku	terlambat	နောက်ကျသည်

すみません。10<ruby>分<rt>ぷん</rt></ruby>ぐらい　<ruby>遅刻<rt>ちこく</rt></ruby>します。

I'm sorry, but I will be about 10 minutes late. / 对不起。我会迟到十分钟左右。
Xin lỗi. Tôi sẽ đến muộn khoảng 10 phút.
ขอโทษครับ/ค่ะ จะถึงช้ากว่ากำหนดประมาณ 10 นาทีครับ/ค่ะ
Maaf. Saya akan terlambat sekitar 10 menit.
တောင်းပန်ပါတယ်။ 10မိနစ်လောက်နောက်ကျပါမယ်။

	そうたい	leave work early	早退
080	**早退** (する)	về sớm	เลิกงานก่อนเวลา
	sōtai	pulang awal	ရုံးစောစောပြန်သည်

<ruby>今日<rt>きょう</rt></ruby>　3<ruby>時<rt>じ</rt></ruby>に　<ruby>早退<rt>そうたい</rt></ruby>しても　いいですか。

May I leave early today, at 3:00? / 我今天 3 点早退可以吗?
Tôi có thể về sớm lúc 3 giờ hôm nay không?
วันนี้ขอเลิกงานก่อนเวลาตอนบ่ายสามได้ไหมครับ/คะ
Bolehkah hari ini saya pulang awal pada jam 3?
ဒီနေ့3နာရီမှာရုံးစောစောပြန်လို့ရပါသလား။

	ざんぎょう	work overtime	加班
081	残業 [する]	tăng ca	ทำงานล่วงเวลา
	zangyō	kerja lembur	အချိန်ပိုလုပ်သည်

リンさん、1時間 残業が できますか。

Ms. Lin, can you work overtime for 1 hour? / 林小姐，你能加班一个小时吗？

Chị Lin, chị có thể tăng ca thêm một tiếng không?

คุณลินจะทำงานล่วงเวลา 1 ชั่วโมงได้ไหมครับ/คะ

Saudari Lin, bisakah Anda bekerja lembur selama satu jam?

ဒေါ်ရင်၊ 1နာရီအချိန်ပိုလုပ်နိုင်ပါသလားch။

	がいしゅつ	go out	外出
082	外出 [する]	đi ra ngoài	ออกไปข้างนอก
	gaishutsu	pergi keluar	အပြင်ထွက်သည်

午前は 会議です。午後は 外出します。

I have a meeting in the morning. I will be out in the afternoon. / 上午开会。下午外出。

Buổi sáng tôi có họp. Buổi chiều tôi sẽ ra ngoài.

ช่วงเช้ามีประชุม ช่วงบ่ายออกไปข้างนอกครับ/ค่ะ

Pagi hari ada rapat. Siang hari saya akan pergi keluar.

မနက်ပိုင်းက အစည်းအဝေးပါ။ ညနေပိုင်းက အပြင်ထွက်ပါမယ်။

	しゅっちょう	travel on business	出差
083	出張 [する]	đi công tác	ไปปฏิบัติงานนอกจังหวัด
	shutchō	melakukan perjalanan bisnis	အလုပ်ကိစ္စနဲ့ခရီးသွားသည်

部長は 今日 出張ですか。

Is the department manager traveling on business today? / 部长今天出差吗？

Hôm nay trưởng bộ phận đi công tác phải không?

วันนี้หัวหน้าฝ่ายออกไปปฏิบัติงานนอกจังหวัดหรือครับ/คะ

Apakah general manajer akan perjalanan bisnis hari ini?

ဌာနမှူးက ဒီနေ့အလုပ်ကိစ္စနဲ့ခရီးသွားတာပါလား။

	きゅうりょう	salary/pay	工资
084	給料	lương	เงินเดือน
	kyūryō	gaji/upah	လစာ

毎月 25日に 給料を もらいます。

We are paid salary on the 25th of each month. / 每个月 25 号领工资。

Chúng tôi nhận lương vào ngày 25 hằng tháng.

รับเงินเดือนในวันที่ 25 ของทุกเดือนครับ/ค่ะ

Menerima gaji setiap bulan tanggal 25.

လစဉ်25ရက်နေ့တွင် လစာရပါသည်။

		bonus	奨金
☐ 085	ぼーなす **ボーナス**	tiền thưởng	โบนัส
	bōnasu	bonus	bonus

ボーナスで　自転車を　買いたいです。

I want to buy a bicycle with my bonus. / 我想用奖金买自行车。

Tôi muốn mua một chiếc xe đạp bằng tiền thưởng của mình.

อยากซื้อจักรยานด้วยเงินโบนัสครับ/ค่ะ

Saya ingin membeli sepeda dengan bonus.

bonusဖြင့် စက်ဘီးဝယ်ချင်ပါသည်။

日常業務
にちじょうぎょう む

Daily work		日常业务
Công việc hàng ngày		การทำงานประจำวัน
Operasional Harian		နေ့စဉ်လုပ်ငန်းတာဝန်

	じかんげんしゅ	punctuality	遵守时间
086	**時間厳守**	đúng giờ	รักษาเวลาอย่างเข้มงวด
	jikan-genshu	tepat waktu	အချိန်တိကျမှု

時間厳守で　お願いします。
じ かんげんしゅ　　　ねが

Please be sure to be on time. / 请严格遵守时间。
Vui lòng đúng giờ.
กรุณารักษาเวลาอย่างเข้มงวดด้วยครับ/ค่ะ
Mohon tepat waktu.
အချိန်တိကျပေးပါ။

	よてい	plan	计划／安排
087	**予定** (する)	dự định	กำหนดการ
	yotei	jadwal/rencana	အစီအစဉ်

今日の　作業予定を　教えて　ください。
きょう　　さぎょうよてい　　おし

Please tell me today's work plans. / 请告诉我今天的工作计划。
Xin cho biết dự định công việc ngày hôm nay của bạn.
กรุณาบอกกำหนดการของงานในวันนี้ด้วยครับ/ค่ะ
Tolong beritahu rencana kerja hari ini.
ဒီနေ့ လုပ်ငန်းအစီအစဉ်ကို ပြောပြပါ။

	あいさつ	greet	打招呼／问候
088	**あいさつ** (する)	chào hỏi	ทักทาย
	aisatsu	mengucapkan salam	နှုတ်ဆက်သည်

職場では　元気に　あいさつしましょう。
しょくば　　げんき

Let's greet each other enthusiastically in the workplace. / 在职场要精神的打招呼。
Hãy cùng vui vẻ chào hỏi mọi người tại nơi làm việc.
ในที่ทำงาน เรามาทักทายกันด้วยความยิ้มแย้มแจ่มใสกันเถอะนะครับ/ค่ะ
Mari memberi salam di tempat kerja dengan bersemangat.
အလုပ်ခွင်တွင် တက်တက်ကြွကြွ နှုတ်ဆက်ကြရအောင်။

		confirm/check	确认
089	かくにん	xác nhận/kiểm tra	ตรวจสอบยืนยัน
	確認 (する)		
	kakunin	memastikan	စစ်ဆေးသည်

もう 一度 確認しても いいですか。

May I check on that once more? / 可以再确认一次吗?

Tôi có thể kiểm tra lại một lần nữa được không?

ตรวจสอบยืนยันอีกครั้งได้ไหมครับ/คะ

Bolehkah memastikan sekali lagi?

နောက်တစ်ကြိမ် စစ်ဆေးလို့ရမလား။

		instruct	指示
090	しじ	chỉ thị	สั่งงาน
	指示 (する)		
	shiji	instruksi	ညွှန်ကြားသည်

指示が わかりましたか。

Did you understand the instructions? / 理解指示了吗?

Bạn đã hiểu các chỉ thị chưa?

เข้าใจคำสั่งงานไหมครับ/คะ

Apakah Anda sudah paham instruksinya?

ညွှန်ကြားချက်တွေကို နားလည်ပါသလား။

		give	交给
091	わたす	trao	ส่งมอบ
	渡す		
	watasu	menyerahkan	ပေးသည်

書類を 田中さんに 渡して ください。

Please give the papers to Mr. Tanaka. / 请把文件交给田中先生。

Hãy trao tài liệu cho ông Tanaka.

กรุณาส่งมอบเอกสารให้คุณทานากะด้วยครับ/ค่ะ

Tolong serahkan dokumennya kepada Pak Tanaka.

စာရွက်စာတမ်းတွေကို မစ္စတာတာနာကာဆီ ပေးလိုက်ပါ။

	ほうこく	report	报告
092	報告 (する)	báo cáo	รายงาน
	hōkoku	melapor	အစီရင်ခံသည်

事故は すぐ 報告して ください。

Please report any accidents right away. / 事故请马上报告。

Hãy báo cáo về tai nạn ngay.

เมื่อเกิดอุบัติเหตุกรุณารายงานทันทีครับ/ค่ะ

Tolong laporkan kecelakaan secepatnya.

မတော်တဆဖြစ်ပါက ချက်ချင်း အစီရင်ခံပါ။

進捗状況や結果などを知らせること。

To provide information on progress, results, etc.

报告进展状况和结果等。

Đây là việc thông báo tình hình tiến độ và kết quả, vv...

การรายงานแจ้งความคืบหน้าหรือผลที่เป็นอยู่

Memberitahu perkembangan kondisi atau hasil.

တိုးတက်မှု အခြေအနေနှင့် ရလဒ်တို့ကို အသိပေးအကြောင်းကြားခြင်း။

	れんらく	inform	联络
093	連絡 (する)	liên lạc	ติดต่อ
	renraku	menghubungi	အကြောင်းကြားသည်

休みや 遅刻は 連絡しましょう。

Please let us know if you will take a day off or be late. / 休息和迟到要联系。

Hãy nhớ liên lạc nếu bạn vắng mặt hoặc đến muộn.

เวลาจะหยุดงานหรือจะมาสาย ติดต่อมาให้ทราบกันด้วยนะครับ/ค่ะ

Hubungi jika Anda tidak masuk atau terlambat.

ခွင့်ယူခြင်းများ၊ နောက်ကျခြင်းများရှိပါက အကြောင်းကြားပါ။

関係者に必要な情報を伝えること。

To communicate necessary information to related parties.

向相关人员传达必要的信息。

Đây là việc truyền đạt thông tin cần thiết cho các bên liên quan.

การติดต่อเพื่อส่งต่อข้อมูลที่จำเป็นและสำคัญให้แก่ผู้ที่เกี่ยวข้อง

Menyampaikan informasi yang diperlukan kepada pihak terkait.

သက်ဆိုင်သူများသို့ လိုအပ်သော သတင်းအချက်အလက်များကို အသိပေးပြောကြားခြင်း။

		consult	商量
094	そうだん	trao đổi	ปรึกษา
	相談 (する)		
	sōdan	berkonsultasi	တိုင်ပင်ဆွေးနွေးသည်

何^{なん}でも 相談^{そうだん}して ください。

Please feel free to consult with us on anything. / 有任何问题请随时商量。

Hãy trao đổi với chúng tôi về mọi vấn đề.

จะปรึกษาเรื่องอะไรก็ได้นะครับ/คะ

Silakan berkonsultasi apa saja.

ဘာမဆို တိုင်ပင်ဆွေးနွေးပါ။

業務上^{ぎょうむじょう}、必要^{ひつよう}なアドバイスを求^{もと}めること。

To ask for advice needed on the job.

在业务上寻求必要的建议。

Trong công việc, cần phải biết xin lời khuyên khi cần thiết.

การขอคำแนะนำที่จำเป็นในการปฏิบัติหน้าที่

Meminta saran yang diperlukan dalam pekerjaan.

လုပ်ငန်းတွင် လိုအပ်သော အကြံဉာဏ်များကို တောင်းခံခြင်း။

ほうれんそう

ホウレンソウ

hōrensō

095 ホウレンソウ（報・連・相）

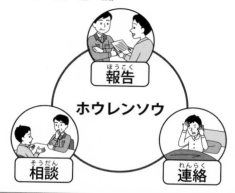

報告

ホウレンソウ

相談

連絡

仕事で必要なコミュニケーションスキルをまとめた言い方。野菜のほうれん草（Hōrensō）の発音にかけている。

A way of expressing the communication skills needed on the job. Pronounced like the Japanese word for spinach.

总结工作中必要的交流技能的说法。与日语的菠菜的发音相同。

Đây là cách nói rút gọn các kỹ năng giao tiếp cần thiết trong công việc. Cách phát âm của từ này giống với phát âm của rau chân vịt.

เป็นคำย่อที่สรุปเกี่ยวกับทักษะในการสื่อสารต่าง ๆ ที่จำเป็นต้องใช้ในการทำงาน
โดยคำนี้อ่านออกเสียงตรงกันกับคำว่า "ผักโขม" ในภาษาญี่ปุ่น

Cara penyampaian yang telah dirangkum sebagai skil komunikasi yang dibutuhkan dalam pekerjaan. Mengambil pelafalan dari sayur bayam dalam bahasa Jepang.

အလုပ်တွင် လိုအပ်သော ဆက်သွယ်မှု အရည်အချင်းများကို စုစည်းဖော်ဝေါ် သော အခေါ်အဝေါ်။
အသီးအရွက်ဖြစ်သော ဟင်းနုနွယ်၏ အသံထွက်ဖြစ်သည်။

会議・集会
かいぎ・しゅうかい

	Meeting and gathering	会议・集会
	Cuộc họp/hội họp	การประชุม·การชุมนุม
	Rapat & Pertemuan	အစည်းအဝေး။ တွေ့ဆုံစည်းဝေးခြင်း

	かいぎ **会議** (する) kaigi	have a meeting/ conference	会议／[开]会
096		họp	ประชุม
		rapat	အစည်းအဝေး ပြုလုပ်သည်

2時から　会議を　します。
We will have a meeting at 2:00. / 两点开始开会。
Sẽ họp từ 2 giờ.
จะประชุมตั้งแต่บ่าย 2 โมงครับ/ค่ะ
Saya akan rapat mulai jam 2.
2နာရီကနေ အစည်းအဝေးလုပ်ပါမယ်။

	みーてぃんぐ **ミーティング** (する) mītingu	have a meeting	会议／[开]会
097		họp	ประชุม
		rapat	အစည်းအဝေး ပြုလုပ်သည်

今から　ミーティングを　始めます。
Now let's start the meeting. / 现在开始开会。
Cuộc họp sẽ bắt đầu từ bây giờ.
ตั้งแต่นี้ไปจะขอเริ่มการประชุมครับ/ค่ะ
Saya akan memulai rapat dari sekarang.
ယခု အစည်းအဝေးကို စပါမည်။

	うちあわせ **打ち合わせ** (する) uchiawase	have a meeting/ briefing	协商／[开]碰头会
098		họp bàn	หารือ/พบปะ
		rapat	တွေ့ဆုံဆွေးနွေးသည်

会議室で　課長と　打ち合わせを　します。
I will have a meeting with the section manager in the meeting room. / 在会议室和科长开会。
Tôi sẽ họp bàn với trưởng phòng tại phòng họp.
จะหารือกับผู้จัดการแผนกที่ห้องประชุมครับ/ค่ะ
Saya akan rapat dengan manajer di ruang rapat.
အစည်းအဝေးခန်းတွင် ဌာနမှူးနှင့် တွေ့ဆုံဆွေးနွေးပါမည်။

38

099 ☐	ちょうれい **朝礼** chōrei	morning meeting	晨会
		họp đầu giờ sáng	ประชุมเช้าก่อนเริ่มงาน
		apel pagi	နံနက်ခင်းအစည်းအဝေး

毎朝　9時から　朝礼を　して　います。

We have a morning meeting each morning at 9:00. / 每天早上九点开早会。

Hàng ngày chúng ta sẽ có họp đầu giờ sáng vào lúc 9 giờ.

ทุกเช้าตั้งแต่เวลา 9 โมง จะทำการประชุมเช้าก่อนเริ่มงานครับ/ค่ะ

Kami apel pagi setiap pagi dari jam 9.

မနက်တိုင်း9နာရီမှ နံနက်ခင်းအစည်းအဝေး ပြုလုပ်လျက်ရှိပါသည်။

100 ☐	ぎじろく **議事録** gijiroku	meeting minutes	会议记录
		biên bản họp	บันทึกการประชุม
		notulen	အစည်းအဝေးမှတ်တမ်း

議事録を　書く　ことが　できますか。

Can you take the minutes of a meeting? / 你可以记会议记录吗？

Bạn có thể viết biên bản cuộc họp không?

สามารถเขียนบันทึกการประชุมได้ไหมครับ/ค่ะ

Bisakah Anda menulis notulennya?

အစည်းအဝေးမှတ်တမ်းကို ရေးနိုင်ပါသလား။

101 ☐	のみかい **飲み会** nomikai	drinking party	酒会
		tiệc rượu	งานดื่มสังสรรค์
		pesta minum-minum	စားသောက်ပွဲ

明日の　飲み会に　参加しますか。

Will you go out drinking with us tomorrow? / 你参加明天的聚餐吗？

Bạn có tham gia tiệc rượu ngày mai không?

พรุ่งนี้จะเข้าร่วมงานดื่มสังสรรค์ไหมครับ/ค่ะ

Apakah Anda akan menghadiri pesta minum-minum besok?

မနက်ဖြန် စားသောက်ပွဲတွင် ပါဝင်မည်လား။

目標管理
もくひょうかんり

Objective management	目標管理
Quản lý mục tiêu	การบริหารเป้าหมาย
Manajemen Target	ရည်မှန်းချက်အတွက်စီမံခန့်ခွဲခြင်း

	もくひょう **目標** mokuhyō	goal/target	目标
102		mục tiêu	เป้าหมาย
		target	ရည်မှန်းချက်

今年の　売上目標を　達成しました。
ことし　うりあげもくひょう　たっせい

We have achieved this year's sales target. / 完成了今年的销售目标。
Chúng ta đã đạt được mục tiêu doanh thu của năm nay.
ปีนี้ทำยอดขายได้ตามเป้าหมายครับ/ค่ะ
Target penjualan tahun ini telah tercapai.
ယခုနှစ်၏ အရောင်းရည်မှန်းချက်ကို ရောက်ရှိအောင်မြင်ခဲ့ပါသည်။

	ほうしん **方針** hōshin	policy	方针
103		chính sách	นโยบาย
		kebijakan	မူဝါဒ

会社の　品質方針が　わかりますか。
かいしゃ　ひんしつほうしん

Do you understand the company's quality policy? / 理解公司的质量方针吗?
Bạn có hiểu chính sách về chất lượng của công ty không?
ทราบนโยบายด้านคุณภาพของบริษัทไหมครับ/คะ
Apakah Anda memahami kebijakan mutu perusahaan?
ကုမ္ပဏီ၏ ကုန်ပစ္စည်းအရည်အသွေးမူဝါဒကို နားလည်ပါသလား။

	けいかく **計画** (する) keikaku	plan	计划
104		kế hoạch	วางแผน
		rencana	စီမံကိန်း

来週までに　コスト計画を　作ります。
らいしゅう　けいかく　つく

We will prepare a cost plan by next week. / 下周之前制定好成本计划。
Chúng tôi phải lập xong kế hoạch chi phí cho đến tuần tới.
จะวางแผนต้นทุนได้ภายในสัปดาห์หน้าครับ/ค่ะ
Saya akan membuat rencana biaya sebelum minggu depan.
နောက်အပတ်မတိုင်မီ ကုန်ကျစရိတ်စီမံကိန်းကို ရေးဆွဲပါမည်။

	きょうりょく	cooperate	協力／合作
105	**協力** (する)	hợp tác	ร่วมมือ
	kyōryoku	bekerja sama	ပူးပေါင်းဆောင်ရွက်သည်

みんなで　協力しましょう。
Let's all work together. / 我们大家齐心协力吧。
Mọi người cùng hợp tác nào.
ทุกคนมาร่วมมือกันเถอะครับ/ค่ะ
Mari kita semua bekerja sama.
အားလုံးပူးပေါင်းဆောင်ရွက်ကြရအောင်။

	ちーむわーく	teamwork	团队合作
106	**チームワーク**	làm việc nhóm	ทีมเวิร์ก
	chīmuwāku	kerja tim	teamwork

作業は　チームワークが　大切です。
Teamwork is essential on the job. / 工作中团队合作很重要。
Làm việc nhóm rất quan trọng trong công việc.
ในการทำงาน ทีมเวิร์คเป็นสิ่งสำคัญครับ/ค่ะ
Kerja tim penting untuk pekerjaan.
လုပ်ငန်းတွင် team work သည်အရေးကြီးပါသည်။

	ひょうか	evaluate	[进行] 评价
107	**評価** (する)	đánh giá	ประเมิน
	hyōka	menilai	အကဲဖြတ်သည်

品質管理の　人が　製品を　評価します。
Quality control staff evaluate the products. / 质量管理的人评价产品。
Người quản lý chất lượng sẽ thực hiện đánh giá sản phẩm.
คนของฝ่ายควบคุมคุณภาพเป็นผู้ประเมินผลิตภัณฑ์ครับ/ค่ะ
Orang manajemen mutu akan menilai produk.
ကုန်ပစ္စည်းအရည်အသွေးကြီးကြပ်သူသည် ထုတ်ကုန်ကိုအကဲဖြတ်ပါသည်။

研修
けんしゅう

Training	培训	
Đào tạo	การฝึกอบรม	
Pelatihan	လေ့ကျင့်ရေး	

	けんしゅう **研修** (する) kenshū	conduct/undertake a training	[进行／参加] 培训
108		đào tạo	ฝึกอบรม
		menjalani pelatihan	လေ့ကျင့်ရေး ပြုလုပ်သည်

日本で 3月まで 研修します。
にほん　　がつ　　　けんしゅう

I will be trained in Japan through March. / 在日本研修到 3 月。
Tôi tham gia đào tạo tại Nhật cho đến tháng 3.
ฝึกอบรมที่ญี่ปุ่นถึงเดือนมีนาคมครับ/ค่ะ
Saya akan menjalani pelatihan di Jepang hingga Maret.
ဂျပန်တွင် 3လပိုင်းအထိ လေ့ကျင့်ရေးပြုလုပ်ပါမည်။

	じっしゅう **実習** (する) jisshū	have practical training	[进行] 实习
109		thực tập	ฝึกงาน
		magang	လက်တွေ့သင်ယူသည်

ABC 工場で 実習して います。
こうじょう　　じっしゅう

I am being trained at the ABC factory. / 我在 ABC 工厂实习。
Tôi đang thực tập tại nhà máy ABC.
กำลังฝึกงานอยู่ที่โรงงาน ABC ครับ/ค่ะ
Saya magang di pabrik ABC.
ABC စက်ရုံတွင် လက်တွေ့သင်ယူနေပါသည်။

	けんがく **見学** (する) kengaku	visit a place to study it	参观学习
110		tham quan	ดูงาน / ศึกษาดูงาน
		melakukan studi tur	လေ့လာခြင်း

今日は 第一工場を 見学しましょう。
きょう　　だいいちこうじょう　　けんがく

Let's tour Plant No. 1 today. / 今天参观第一工厂吧。
Hôm nay chúng ta sẽ cùng tham quan nhà máy số 1.
วันนี้จะไปดูงานที่โรงงาน 1 กันนะครับ/ค่ะ
Mari melakukan studi tur di pabrik I hari ini.
ယနေ့ စက်ရုံအမှတ်၁ကို လေ့လာကြရအောင်။

111	にっぽう **日報** nippō	daily report	日报
		báo cáo hằng ngày	รายงานประจำวัน
		laporan harian	နေ့စဉ်အစီရင်ခံစာ

<u>帰</u>る <u>前</u>に <u>日報</u>を <u>書</u>いて ください。
Please write a daily report before you leave. / 回家之前请写日报。
Hãy viết báo cáo hằng ngày trước khi về.
ก่อนกลับกรุณาเขียนรายงานประจำวันด้วยครับ/ค่ะ
Tulislah laporan harian sebelum Anda pulang.
မပြန်ခင် နေ့စဉ်အစီရင်ခံစာကို ရေးပါ။

112	しゅうほう **週報** shūhō	weekly report	周报
		báo cáo hàng tuần	รายงานประจำสัปดาห์
		laporan mingguan	အပတ်စဉ်အစီရင်ခံစာ

<u>週報</u>は <u>日本語</u>で <u>書</u>いて ください。
Please write the weekly report in Japanese. / 请用日语写周报。
Hãy viết báo cáo hàng tuần bằng tiếng Nhật.
กรุณาเขียนรายงานประจำสัปดาห์ เป็นภาษาญี่ปุ่นด้วยนะครับ/ค่ะ
Tulislah laporan mingguan dalam bahasa Jepang.
အပတ်စဉ်အစီရင်ခံစာကို ဂျပန်စာဖြင့် ရေးပါ။

113	げっぽう **月報** geppō	monthly report	月报
		báo cáo hàng tháng	รายงานประจำเดือน
		laporan bulanan	လစဉ် အစီရင်ခံစာ

<u>課長</u>に <u>月報</u>を <u>出</u>して ください。
Please submit the monthly report to the section manager. / 请向科长提交月报。
Hãy nộp báo cáo hàng tháng cho trưởng phòng.
กรุณาส่งรายงานประจำเดือนให้ผู้จัดการฝ่ายด้วยครับ/ค่ะ
Kirimlah laporan bulanan ke manajer divisi.
ဌာနမှူးထံသို့ လစဉ်အစီရင်ခံစာကို တင်ပြပါ။

114	ほうこくしょ **報告書** hōkokusho	report	报告书
		bản báo cáo	ใบรายงาน
		laporan	အစီရင်ခံစာ

<u>検査</u>の <u>報告書</u>を <u>読</u>みます。
I will read the inspection report. / 阅读检查报告书。
Tôi đọc bản báo cáo kiểm tra.
อ่านใบรายงานการตรวจสอบครับ/ค่ะ
Membaca laporan inspeksi.
စစ်ဆေးမှုအစီရင်ခံစာကို ဖတ်ပါမည်။

43

	まにゅある **マニュアル** manyuaru	manuals	使用指南／手册
115		tài liệu hướng dẫn	คู่มือ
		manual	လက်စွဲစာအုပ်

マニュアルを　見ても　いいですか。

May I look at the manual? / 我可以看操作手册吗？

Tôi có thể xem tài liệu hướng dẫn được không?

ขอดูคู่มือได้ไหมครับ/คะ

Bolehkah saya melihat manual?

လက်စွဲစာအုပ် ကို ကြည့်လို့ရပါသလား။

	るーる **ルール** rūru	rules	规则
116		quy tắc	กฎ
		aturan	စည်းကမ်း

ルールを　守らなければ　なりません。

You must follow the rules. / 必须遵守规则。

Bạn phải tuân thủ các quy tắc.

ต้องปฏิบัติตามกฎครับ/ค่ะ

Anda harus mematuhi aturan.

စည်းကမ်းများကို မလိုက်နာ၍မရပါ။

書類
しょるい

Documents	文件	
Văn bản	エオกสาร	
Dokumen	စာရွက်စာတမ်း	

	しょるい	documents	文件
117	**書類**	văn bản	เอกสาร
	shorui	dokumen	စာရွက်စာတမ်း

書類を　コピーしても　いいですか。
しょるい

May I copy this document? / 我可以复印文件吗?
Tôi có thể photo văn bản này được không?
ขอถ่ายสำเนาเอกสารนี้ได้ไหมครับ/ค่ะ
Bolehkah saya memfotokopi dokumen?
စာရွက်စာတမ်းများကို မိတ္တူကူးလို့ရပါသလား။

	しりょう	materials/data	資料
118	**資料**	tài liệu	เอกสารข้อมูล
	shiryō	materi/data	အချက်အလက်များ

もう　資料は　作りましたか。
しりょう　　　　つく

Have you prepared the materials yet? / 资料已经做好了吗?
Bạn đã soạn xong tài liệu chưa?
ทำเอกสารข้อมูลเสร็จแล้วหรือยังครับ/ค่ะ
Apakah Anda sudah membuat materi?
အချက်အလက်များကို ပြုလုပ်ပြီးသွားပြီလား။

	しよう／しようしょ	specification	規格／規格说明书
119	**仕様／仕様書**	thông số kỹ thuật/ bản thông số kỹ thuật	สเปก/ใบสเปก
	shiyō/shiyōsho	spesifikasi	အသေးစိတ်ဖော်ပြချက်/ အသေးစိတ်ဖော်ပြလွှာ

仕様を　確認してから　作ります。
しよう　　かくにん　　　　　つく

We will make the product after checking the specifications. / 确认规格后再做。
Chúng tôi thực hiện sau khi kiểm tra các thông số kỹ thuật.
จะทำหลังตรวจสอบยืนยันสเปกแล้วครับ/ค่ะ
Membuat setelah memastikan spesifikasinya.
အသေးစိတ်ဖော်ပြချက်များကိုစစ်ဆေးပြီးနောက်မှပြုလုပ်ပါမည်။

☐ 120	ずめん **図面** zumen	(technical) drawing	图纸
		bản vẽ	แบบงาน
		gambar teknik	ဒီဇိုင်းပုံကြမ်း

よく　図面(ずめん)を　読(よ)んで（見(み)て）　ください。
Please look at the drawings closely. / 请仔细看图纸。
Hãy xem kỹ bản vẽ.
กรุณาดูแบบงานให้ดี ๆนะครับ/คะ
Lihatlah gambar tekniknya dengan cermat.
ဒီဇိုင်းပုံကြမ်းကို သေချာကြည့်ပါ။

☐ 121	みつもりしょ **見積書** mitsumorisho	quotation	报价单
		báo giá	ใบเสนอราคา
		surat penawaran	ခန့်မှန်းငွေစာရင်း

見積書(みつもりしょ)を　お客様(きゃくさま)に　送(おく)りましたか。
Did you send the quotation to the customer? / 把报价单发给客人了吗?
Bạn đã gửi bảng báo giá cho khách hàng chưa?
ส่งใบเสนอราคาให้กับลูกค้าหรือยังครับ/คะ
Apakah Anda sudah mengirimkan surat penawaran ke pelanggan?
ခန့်မှန်းငွေစာရင်းကို customerထံသို့ ပို့ပြီးသွားပြီလား။

☐ 122	せいきゅうしょ **請求書** seikyūsho	bill	请款单
		hóa đơn thanh toán	ใบแจ้งหนี้
		surat tagihan	ငွေတောင်းခံစာ

いつ　請求書(せいきゅうしょ)を　もらいましたか。
When did you receive the bill? / 你什么时候拿到账单的?
Bạn đã nhận được hóa đơn thanh toán khi nào?
ได้รับใบแจ้งหนี้เมื่อไหร่ครับ/คะ
Kapan Anda menerima surat tagihan?
ဘယ်အချိန်မှာ ငွေတောင်းခံစာကို ရခဲ့ပါသလဲ။

☐ 123	りょうしゅうしょ **領収書** ryōshūsho	receipt	收据
		biên lai	ใบเสร็จรับเงิน
		kuitansi	ငွေလက်ခံဖြတ်ပိုင်း

すみません。領収書(りょうしゅうしょ)を　ください。
Excuse me. May I have a receipt? / 对不起。请给我收据。
Xin lỗi. Hãy đưa biên lai cho tôi.
ขอโทษครับ/ค่ะ ขอใบเสร็จรับเงินด้วยครับ/ค่ะ
Maaf. Minta kuitansi.
တစ်ဆိတ်လောက် ငွေလက်ခံဖြတ်ပိုင်းပေးပါ။

	めいさいしょ	detailed statement	明细单
124	明細書	hóa đơn chi tiết	ใบแจงรายละเอียด
	meisaisho	slip perincian	အသေးစိတ်စာရင်း

すみませんが、明細書も　ください。

Excuse me, but may I also have a detailed statement? / 对不起，还请给我明细单。

Xin lỗi, hãy đưa cho tôi cả hóa đơn chi tiết nữa.

ขอโทษครับ/ค่ะ ขอใบแจงรายละเอียดด้วยครับ/ค่ะ

Maaf. Minta slip perincian juga.

အားနာပေမယ့် ငွေအသေးစိတ်စာရင်းကိုလည်း ပေးပါ။

<ruby>売上<rt>うりあげ</rt></ruby>

Sales	営業額
Doanh thu	ยอดขาย
Penjualan	ရောင်းအား

	おきゃくさま	customer	顧客
125	**お客様**	khách hàng	ลูกค้า
	okyakusama	pelanggan	ဝယ်ယူသုံးစွဲသူ

<ruby>お客様<rt>きゃくさま</rt></ruby>から　クレームが　ありました。
We have received a complaint from a customer. / 收到了顾客的投诉。
Đã có khiếu nại từ khách hàng.
มีการร้องเรียนจากลูกค้าครับ/ค่ะ
Ada klaim dari pelanggan.
ဝယ်ယူသုံးစွဲသူထံမှ complain ရှိခဲ့ပါသည်။

	うりあげ	sales	営業額
126	**売上**	doanh thu	ยอดขาย
	uriage	penjualan	ရောင်းအား

<ruby>今月<rt>こんげつ</rt></ruby>の　<ruby>売上<rt>うりあげ</rt></ruby>を　<ruby>報告<rt>ほうこく</rt></ruby>しました。
We have reported this month's sales. / 报告了这个月的销售额。
Chúng tôi đã báo cáo doanh thu của tháng này.
รายงานยอดขายของเดือนนี้แล้วครับ/ค่ะ
Saya sudah melaporkan penjualan bulan ini.
ယခုလ၏ ရောင်းအားကို အစီရင်ခံခဲ့ပါသည်။

	りえき	profit	利益
127	**利益**	lợi nhuận	กำไร
	rieki	laba	အမြတ်

<ruby>先月<rt>せんげつ</rt></ruby>の　<ruby>利益<rt>りえき</rt></ruby>は　どのくらいですか。
How much was last month's profit? / 上个月的利润是多少?
Lợi nhuận tháng trước là bao nhiêu?
เดือนที่แล้วกำไรประมาณเท่าไหร่ครับ/ค่ะ
Berapa laba bulan lalu?
ယခင်လ၏ အမြတ်သည် မည်မျှရှိပါသနည်း။

	こすと	cost/expense	成本
128	**コスト**	chi phí	ต้นทุน/ค่าใช้จ่าย
	kosuto	biaya	ကုန်ကျစရိတ်

どのくらい　コストが　かかりますか。
Roughly how much will it cost? / 需要多少成本?
Chi phí tốn khoảng bao nhiêu ạ?
เสียค่าใช้จ่ายต้นทุนประมาณเท่าไหร่ครับ/คะ
Kira-kira makan biaya berapa?
ကုန်ကျစရိတ် မည်မျှ ရှိမည်နည်း။

	けいひ	cost/expense	経費
129	**経費**	kinh phí	ค่าใช้จ่าย
	keihi	biaya operasional	ကုန်ကျစရိတ်

先月は　経費が　たくさん　かかりました。
Last month's expenses were high. / 上个月花了很多经费。
Tháng trước tốn quá nhiều kinh phí.
เดือนที่แล้วเสียค่าใช้จ่ายไปมากเลยครับ/ค่ะ
Bulan lalu makan banyak biaya operasional.
ယခင်လတွင် ကုန်ကျစရိတ်များ များစွာ ကုန်ကျခဲ့ပါသည်။

	かかく	price	价格
130	**価格**	giá	ราคา
	kakaku	harga	ဈေးနှုန်းတန်ဖိုး

この　材料の　価格は　いくらですか。
What is the price of this material? / 这个材料的价格是多少?
Giá của vật liệu này là bao nhiêu?
วัตถุดิบนี้ราคาเท่าไหร่ครับ/คะ
Berapa harga bahan baku ini?
ဤကုန်ကြမ်း၏ ဈေးနှုန်းတန်ဖိုးသည် မည်မျှနည်း။

品質管理
ひんしつかんり

Quality control	品质管理
Quản lý chất lượng	การควบคุมคุณภาพ
Manajemen Mutu	ကုန်ပစ္စည်းအရည်အသွေး စီမံခန့်ခွဲခြင်း

	かんり **管理** する kanri	control	管理
131		quản lý	จัดการ/บริหาร/ ควบคุม
		mengelola	စီမံခန့်ခွဲရန်

倉庫で　在庫を　管理して　います。
We control stock in the warehouse. / 我在仓库管理库存。
Chúng tôi quản lý hàng tồn kho.
กำลังจัดการสต๊อกอยู่ที่โกดังครับ/ค่ะ
Kami mengelola stok di gudang.
ဂိုဒေါင်တွင်　လက်ကျန်ပစ္စည်းများကို　စီမံခန့်ခွဲနေပါသည်။

	ひんしつかんり **品質管理** hinshitsu-kanri	quality control	品质管理
132		quản lý chất lượng	การควบคุมคุณภาพ
		manajemen mutu	ကုန်ပစ္စည်းအရည်အသွေး စီမံခန့်ခွဲခြင်း

私の　仕事は　品質管理です。
I work in quality control. / 我的工作是质量管理。
Công việc của tôi là quản lý chất lượng.
งานของผม/ดิฉันคือการควบคุมคุณภาพครับ/ค่ะ
Pekerjaan saya adalah manajemen mutu.
ကျွန်တော်၏　အလုပ်သည်　ကုန်ပစ္စည်းအရည်အသွေးစီမံခန့်ခွဲခြင်း　ဖြစ်ပါသည်။

買い手の要求に応え得る品質を提供するための、製品やサービスの向上を図る一連の活動。
The series of activities intended to improve products and services in order to deliver quality capable of satisfying buyers' requirements.
为了提供能满足买方要求的质量，谋求提高产品和服务的一系列活动。
Đây là chuỗi hoạt động nhằm cải thiện sản phẩm và dịch vụ để mang đến chất lượng có thể đáp ứng yêu cầu của người mua hàng.
ขั้นตอนการดำเนินงานในการวางแผนพัฒนาผลิตภัณฑ์หรือบริการ เพื่อนำเสนอคุณภาพสินค้าที่ตอบโจทย์ความต้องการของผู้ซื้อได้
Serangkaian aktivitas untuk meningkatkan produk maupun jasa agar dapat memberikan mutu yang dapat memenuhi permintaan pembeli.
ဝယ်သူ၏　တောင်းဆိုမှုနှင့်　ကိုက်ညီသော　အရည်အသွေးကို　ပေးနိုင်ရန်　ထုတ်ကုန်နှင့်　ဝန်ဆောင်မှုကို တိုးတက်ရန်　စီမံရမည့်　လုပ်ဆောင်ချက်များ။။

	ひんしつほしょう	quality assurance	品质保证
133	**品質保証**	đảm bảo chất lượng	การประกันคุณภาพ
	hinshitsu-hoshō	jaminan mutu	ကုန်ပစ္စည်းအရည်အသွေး အာမခံချက်

品質保証の 仕事が したいです。

I would like to work in quality assurance. / 我想做质量保证的工作。

Tôi muốn làm công việc đảm bảo chất lượng.

อยากทำงานด้านการรับประกันคุณภาพสินค้าครับ/ค่ะ

Saya ingin melakukan pekerjaan jaminan mutu.

ကုန်ပစ္စည်းအရည်အသွေးအာမခံလုပ်ကို လုပ်ချင်ပါတယ်။

製品やサービスが買い手の要求する品質を満たしていることを保証する一連の活動。

The series of activities intended to guarantee that products and services satisfy buyers' required quality.

确保产品和服务满足买方要求的质量的一系列活动。

Đây là chuỗi hoạt động bảo đảm các sản phẩm và dịch vụ thỏa mãn yêu cầu về chất lượng của người mua.

ขั้นตอนการดำเนินงานในการรับประกันความพึงพอใจในคุณภาพของสินค้าหรือบริการที่ลูกค้าต้องการ

Serangkaian aktivitas untuk menjamin bahwa mutu produk maupun jasa telah memenuhi permintaan pembeli.

ထုတ်ကုန်နှင့် ဝန်ဆောင်မှုကို ဝယ်သူ၏ တောင်းဆိုမှုနှင့် ကိုက်ညီသော အရည်အသွေး ပြည့်မီနေသည်ကို အာမခံနိုင်သော ဆက်လက် လုပ်ဆောင်ချက်များ။

	かいぜん
134	**カイゼン**
	kaizen

作業効率や安全性の向上のために、現場から主体的に作業方法を見直す活動。

Activities to actively review work methods from the workplace, in order to improve work efficiency, safety, etc.

为了提高作业效率和安全性，由现场主导的重新审视作业方法的活动。

Đây là hoạt động chủ động xem xét lại phương pháp làm việc từ hiện trường để cải thiện hiệu suất làm việc và tính an toàn.

กิจกรรมเพื่อการปรับปรุงแก้ไขวิธีการทำงานที่หน้างานจริงโดยการคิดและทำกันเอง เพื่อเพิ่มประสิทธิภาพ หรือความปลอดภัยของการทำงาน

Aktivitas perbaikan cara kerja secara mandiri dari lapangan agar dapat meningkatkan efisiensi kerja maupun keselamatan.

လုပ်ငန်းတွင်း ထိရောက်မှုနှင့် လုံခြုံစိတ်ချရမှုများ တိုးတက်လာ ရန်အတွက် လုပ်ငန်းခွင်ရှိ လုပ်ပုံနည်း၊လမ်းများအား လွတ်လပ်စွာ ပြန်လည်သုံးသပ်ရန် လုပ်ဆောင်ချက်များ။

	せいさんせい	productivity	生产率
135	**生産性**	năng suất	ผลิตภาพ
	seisansei	produktivitas	ကုန်ထုတ်စွမ်းအား

<ruby>作業<rt>さぎょう</rt></ruby>は <ruby>生産性<rt>せいさんせい</rt></ruby>が <ruby>大切<rt>たいせつ</rt></ruby>です。

Productivity is important to work. / 工作的生产效率很重要。

Năng suất rất quan trọng đối với công việc.

ในการทำงาน ผลิตภาพเป็นสิ่งสำคัญครับ/ค่ะ

Produktivitas penting dalam pekerjaan.

လုပ်ငန်းတွင် ထုတ်လုပ်နိုင်မှုအား သည် အရေးကြီးသည်။

<ruby>生産性<rt>せいさんせい</rt></ruby>＝<ruby>生産出来高<rt>せいさんできだか</rt></ruby>÷<ruby>生産資源<rt>せいさんしげん</rt></ruby>（<ruby>労働力<rt>ろうどうりょく</rt></ruby>、<ruby>原材料<rt>げんざいりょう</rt></ruby>、<ruby>設備<rt>せつび</rt></ruby>、エネルギーなど）

Productivity = Production output ÷ production inputs (labor, raw materials, equipment, energy, etc.)

生产率 ＝ 产量 ÷ 生产资源（劳动力、原材料、设备、能源等）

Năng suất = Sản lượng sản xuất ÷ tài nguyên sản xuất (lực lượng lao động, nguyên liệu thô, thiết bị, năng lượng, vv..)

ผลิตภาพ = ผลิตผล ÷ ทรัพยากรในการผลิต (แรงงาน, วัตถุดิบ, อุปกรณ์, พลังงาน เป็นต้น)

Produktivitas = volume produksi ÷ sumber daya produksi (tenaga kerja, bahan baku, fasilitas, energi, dan lain-lain).

ကုန်ထုတ်စွမ်းအား: = ထုတ်လုပ်ခဲ့သည့်အရေအတွက် ÷ ထုတ်လုပ်မှုအရင်းအမြစ်များ (လုပ်သားအင်အား။ ကုန်ကြမ်း။ စက်ရုံအဆောက်အဦ။ စွမ်းအင် စသည်)

	ひょうじゅんか	standardize	标准化
136	**標準化** (する)	tiêu chuẩn hóa	สร้างมาตรฐาน/ทำให้เป็นมาตรฐาน
	hyōjunka	standarisasi	ชั่วดวดมุดว่งดน:

<ruby>作業<rt>さぎょう</rt></ruby>を <ruby>標準化<rt>ひょうじゅんか</rt></ruby>したいです。

I want to standardize the work. / 想把作业标准化。

Tôi muốn tiêu chuẩn hóa công việc.

อยากสร้างมาตรฐานในการทำงานครับ/ค่ะ

Ingin menstandarisasi pekerjaan.

လုပ်ငန်း:အား: စံသတ်မုတ်ချင်ပါသည်။

<ruby>作業<rt>さぎょう</rt></ruby>の<ruby>効率化<rt>こうりつか</rt></ruby>や、ばらつきをなくすために、<ruby>材料<rt>ざいりょう</rt></ruby>や<ruby>作業手順<rt>さぎょうてじゅん</rt></ruby>などに<ruby>関<rt>かん</rt></ruby>して<ruby>標<rt>ひょう</rt></ruby><ruby>準<rt>じゅん</rt></ruby>・<ruby>規格<rt>きかく</rt></ruby>を<ruby>設定<rt>せってい</rt></ruby>し<ruby>統一<rt>とういつ</rt></ruby>すること。

To set and integrate standards and norms related to materials, work procedures, etc. for purposes such as improving work efficiency and eliminating variation.

为了提高作业效率和消除偏差，设定材料和作业步骤等的标准及规格来统一。

Đây là việc thiết lập và thống nhất các tiêu chuẩn, quy cách về nguyên liệu và trình tự làm việc để nâng cao hiệu suất làm việc và loại bỏ sự chênh lệch.

การกำหนดมาตรฐาน·เกณฑ์เกี่ยวกับวัสดุและขั้นตอนการทำงานให้เป็นหนึ่งเดียว เพื่อให้การทำงานมีประสิทธิภาพหรือทำให้ความแตกต่างหายไป

Menyeragamkan dengan menetapkan standar/spesifikasi terkait bahan baku maupun prosedur kerja untuk efisiensi kerja dan menghilangkan variabilitas.

လုပ်ငန်းတွင် မလိုအပ်သော လုပ်ငန်းစဉ်များနှင့် မတူညီကွဲပြားနေမှုများ ပျောက်ကွယ်သွားရန် ကုန်ကြမ်း။ လုပ်ငန်းလုပ်ထုံးများနှင့် စပ်လျဉ်း၍ စံနှုန်း၊ စံချိန်စံညွှန်းများကို ဖန်တီးပြီး တူညီအောင် လုပ်ခြင်း။

パート2 分野別語彙 製造業

<ruby>分<rt>ぶん</rt>野<rt>や</rt>別<rt>べつ</rt>語<rt>ご</rt>彙<rt>い</rt></ruby> <ruby>製<rt>せい</rt>造<rt>ぞう</rt>業<rt>ぎょう</rt></ruby>

Part 2　Sectoral Vocabulary　Manufacturing industry
第 2 部分　各领域词汇　制造业
Phần 2　Từ vựng theo lĩnh vực　Ngành sản xuất
ส่วนที่ 2　คำศัพท์เฉพาะสาขา　อุตสาหกรรมการผลิต
Bagian 2　Kosakata Tiap Bidang　Industri Manufaktur
အပိုင်း 2　ကဏ္ဍအလိုက်ဝေါဟာရများ　ကုန်ထုတ်လုပ်ရေးစက်မှုလုပ်ငန်း

いっぱん
一般

	General	一般
	Tổng hợp	ทั่วไป
	Kosakata Umum	အထွေထွေ

☐ 137	ものづくり **ものづくり** monozukuri	manufacturing	制造生产
		chế tạo	โมโนซึคุริ
		manufaktur/ memproduksi barang	ကုန်ပစ္စည်းထုတ်လုပ်ခြင်း
☐ 138	じどうか **自動化** する jidōka	automate	自動化
		tự động hóa	ระบบอัตโนมัติ
		otomatisasi	automatic လုပ်ဆောင်သည်

この　作業は　来年から　自動化します。
さぎょう　らいねん　じ どう か

This work will be automated next year. / 这个工作明年开始自动化。

Công việc này sẽ được tự động hóa từ năm sau.

จะมีการเปลี่ยนงานนี้ให้เป็นระบบอัตโนมัติในปีหน้าครับ/ค่ะ

Pekerjaan ini akan diotomatisasi mulai tahun depan.

ကျွ်လုပ်ငန်းအား နောက်နှစ်မှစ၍ Automaticလုပ်ဆောင်ခြင်းကိုပြောင်းပါမည်။

☐ 139	じどう **自動** jidō	automatic/ automated	自動
		tự động	อัตโนมัติ
		otomatis	automatic
☐ 140	しゅどう **手動** shudō	manual/ hand-operated	手动
		bằng tay	ใช้คนควบคุม
		manual	လူသားတို့၏လုပ်အား ဖြင့်ဆောင်ရွက်ခြင်း
☐ 141	きしゅ **機種** kishu	model	机型
		đời máy	รุ่น/ชนิดของเครื่อง
		model/ tipe peralatan	စက်အမျိုးအစား

		new model	新机型
142	しんきしゅ **新機種** shinkishu	đời máy mới	เครื่องรุ่นใหม่
		model baru	စက်အမျိုးအစားအသစ်
143	せつび **設備** setsubi	facility	设备
		thiết bị	อุปกรณ์/เครื่องมือ
		fasilitas	လိုအပ်သည့်စက်ပစ္စည်း ကိရိယာများ
144	かながた **金型** kanagata	mold/die	金属模具
		khuôn	แม่พิมพ์
		cetakan	ပုံစံခွက်
145	はんどうたい **半導体** handōtai	semiconductor	半导体
		chất bán dẫn	สารกึ่งตัวนำ
		semikonduktor	semiconductor
146	どうにゅう **導入** (する) dōnyū	install	导入／引进
		nhập vào	นำเข้ามาใช้
		menggunakan	တပ်ဆင်သည်

こうじょう あたら せつ び どうにゅう
工場に 新しい 設備を 導入しました。
We installed new equipment in the factory. / 工厂引进了新设备。
Chúng tôi đã nhập thiết bị mới vào nhà máy.
นำอุปกรณ์ใหม่เข้ามาใช้งานที่โรงงานแล้วครับ/ค่ะ
Sudah menggunakan peralatan baru di pabrik.
စက်ရုံတွင် ပစ္စည်းအသစ်ကို တပ်ဆင်ခဲ့ပါသည်။

147	かどう **稼働** (する) kadō	operate	运转
		hoạt động	ใช้งาน/เดินเครื่อง
		beroperasi	လည်ပတ်လုပ်ဆောင် သည်

こうじょう じ かん か どう
工場は 24 時間 稼働して います。
The factory operates 24 hours a day. / 工厂 24 小时运转。
Nhà máy hoạt động 24/24.
โรงงานมีการเดินเครื่องตลอด 24 ชั่วโมงครับ/ค่ะ
Pabrik beroperasi 24 jam.
စက်ရုံသည် 24နာရီလည်ပတ်လုပ်ဆောင်လျက်ရှိပါသည်။

☐ 148	かいてん	rotate	旋转
	回転 (する)	quay	หมุน
	kaiten	rotasi	လည်ပတ်သည်

この ボタンで 回転が 止まります。
Press this button to stop the rotation. / 按这个按钮停止旋转。
Ngừng quay bằng nút này.
หยุดการหมุนด้วยปุ่มนี้ครับ/ค่ะ
Dengan tombol ini rotasi akan berhenti.
ကျွန်ုပ်လုပ်ကိုနှိပ်ခြင်းဖြင့် လည်ပတ်မှု ရပ်တန့်သွားပါမည်။

☐ 149	うんてん	operate/run	运行
	運転 (する)	vận hành	เดินเครื่อง/ขับเคลื่อน
	unten	mengoperasikan	စက်လည်ပတ်မောင်းနှင်သည်

この 機械は 操作盤で 運転します。
This machine is operated using the control panel. / 这台机器通过操作盘控制运转。
Máy này vận hành bằng bảng điều khiển.
เครื่องจักรนี้ขับเคลื่อนโดยแผงควบคุมครับ/ค่ะ
Mesin ini dioperasikan dengan panel kontrol.
ကျွန်ုပ်စက်ပစ္စည်းသည် ခလုတ်ခုံဖြင့် လည်ပတ်ပါသည်။

☐ 150	はいしゅつ	discharge	排出
	排出 (する)	xả	ระบายออก/ขับทิ้ง
	haishutsu	dibuang keluar	စွန့်ထုတ်သည်

この 穴から 水を 排出します。
Water is released from this hole. / 从这个洞排水。
Xả nước từ lỗ này.
น้ำจะถูกระบายออกจากรูนี้ครับ/ค่ะ
Air akan dibuang keluar dari lubang ini.
ကျွန်ုပ်အပေါက်မှ ရေကိုစွန့်ထုတ်ပါမည်။

☐ 151	せいぎょ	control	控制
	制御 (する)	kiểm soát	ควบคุม
	seigyo	mengontrol	ထိန်းချုပ်သည်

この ボタンで 温度を 制御します。
Use this button to control the temperature. / 用这个按钮控制温度。
Sử dụng nút này để kiểm soát nhiệt độ.
ควบคุมอุณหภูมิด้วยปุ่มนี้ครับ/ค่ะ
Mengontrol temperatur dengan tombol ini.
ကျွန်ုပ်ခလုတ်ဖြင့် အပူချိန်ကို ထိန်းချုပ်ပါမည်။

<ruby>安全<rt>あんぜん</rt></ruby>

Safety	安全
An toàn	ความปลอดภัย
Keselamatan Kerja	ဘေးကင်းလုံခြုံမှု

☐ **152**	へるめっと **ヘルメット** herumetto　→ p.59	helmet mũ bảo hiểm helm	安全帽 หมวกนิรภัย ဟယ်မက်ဦးထုပ်
☐ **153**	あごひも **あご紐** agohimo　→ p.59	chin strap quai đeo tali pengikat helm	顎帯 สายรัดคาง မေးသိုင်းကြိုး
☐ **154**	ぼうごめがね **防護めがね** bōgo-megane　→ p.59	safety goggles kính bảo hộ kacamata pengaman	防护眼镜 แว่นตานิรภัย အကာအကွယ်မျက်မှန်
☐ **155**	さぎょうぎ **作業着** sagyōgi　→ p.59	work clothes quần áo làm việc baju keselamatan kerja	工作服 ชุดทำงาน လုပ်ငန်းခွင်ဝတ်စုံ
☐ **156**	てぶくろ **手袋** tebukuro　→ p.59	gloves găng tay sarung tangan	手套 ถุงมือ လက်အိတ်
☐ **157**	あんぜんぐつ **安全靴** anzengutsu　→ p.59	safety shoes giày bảo hộ sepatu keselamatan kerja	安全鞋 รองเท้านิรภัย/ รองเท้าเซฟตี้ ထိခိုက်မှုကိုကာကွယ် ရန်ဖိနပ်

	ちゃくよう	wear	穿戴
158	**着用** (する)	đội	สวมใส่
	chakuyō	memakai	ဝတ်ဆင်သည်

工場では　ヘルメットを　着用します。
Wear a helmet at the factory. / 在工厂里要佩戴头盔。
Đội mũ bảo hộ tại nhà máy.
ใส่หมวกนิรภัยในโรงงานครับ/ค่ะ
Mengenakan helm di pabrik.
စက်ရုံတွင် ဟဲလ်မက်ဦးထုပ်ဆောင်းရပါမည်။

	よぼう	prevent	预防
159	**予防** (する)	phòng ngừa	ป้องกัน
	yobō	mencegah	ကြိုတင်ကာကွယ်သည်

手袋を　して　事故を　予防しましょう。
Let's wear gloves to prevent accidents. / 戴上手套预防事故吧。
Hãy mang găng tay để phòng ngừa tai nạn.
ใส่ถุงมือป้องกันอุบัติเหตุกันเถอะครับ/ค่ะ
Gunakanlah sarung tangan untuk mencegah kecelakaan.
လက်အိတ်ဝတ်ပြီး မတော်တဆမှုများကို ကြိုတင်ကာကွယ်ကြရအောင်။

	ほご	protect	保护
160	**保護** (する)	bảo vệ	ปกป้อง
	hogo	melindungi	ကာကွယ်သည်

防護めがねで　目を　保護します。
Protect your eyes using safety goggles. / 用防护眼镜保护眼睛。
Bảo vệ mắt bằng kính bảo hộ.
ปกป้องดวงตาด้วยแว่นนิรภัยครับ/ค่ะ
Melindungi mata dengan kacamata pelindung.
အကာအကွယ်မျက်မှန်ဖြင့် မျက်လုံးကိုကာကွယ်ပါမည်။

	えいせい	hygiene	卫生
161	**衛生**	vệ sinh	สุขอนามัย
	eisei	kebersihan	ကျန်းမာသန့်ရှင်းရေး

	かんきょう	environment	环境
162	**環境**	môi trường	สิ่งแวดล้อม
	kankyō	lingkungan	ပတ်ဝန်းကျင်

	たいさく	measures	対策
163	**対策**	biện pháp	จัดการรับมือ/ ใช้มาตรการรับมือ
	taisaku	tindakan	ສະອຶສະໜໍ

152 ヘルメット

154 防護めがね

153 あご紐

155 作業着

156 手袋

157 安全靴

59

作業動作
<ruby>作<rt>さ</rt></ruby> <ruby>業<rt>ぎょう</rt></ruby><ruby>動<rt>どう</rt></ruby><ruby>作<rt>さ</rt></ruby>

		Job operations	作业运作
		Động tác làm việc	กริยาในการทำงาน
		Operasional Kerja	လုပ်ငန်းလည်ပတ်မှုဆိုင်ရာ

		operate/run	搬动／启动
☐ 164	うごかす **動かす** ugokasu	cho máy chạy/ di chuyển	ทำให้เครื่องทำงาน/ เคลื่อนย้าย
		menjalankan	ရွှေ့သည်/မောင်းနှင်သည်

この 機械は どうやって 動かしますか。
<ruby>機<rt>き</rt></ruby><ruby>械<rt>かい</rt></ruby>　<ruby>動<rt>うご</rt></ruby>

How do you operate this machine? / 这台机器怎么启动?
Làm thế nào để cho cho máy này chạy?
ทำอย่างไรให้เครื่องจักรนี้ทำงานครับ/ค่ะ
Bagaimana cara menjalankan mesin ini?
ဒီစက်ပစ္စည်းကို ဘယ်လို မောင်းနှင်ရမလဲ။

		stop	停止
☐ 165	とめる／ていしする **止める／停止する** tomeru/teishisuru	ngừng	หยุด/เลิก/ปิด
		menghentikan	ရပ်သည်။ ဆိုင်းငံ့သည်။

すぐ ラインを 止めて ください。
<ruby>止<rt>と</rt></ruby>

Please stop the line right away. / 请马上停止生产线。
Hãy ngừng dây chuyền ngay lập tức.
กรุณาหยุดสายการผลิตเดี๋ยวนี้ครับ/ค่ะ
Tolong segera hentikan line.
line ကို ချက်ချင်းရပ်ပါ။

		stop	停止
☐ 166	やめる **止める** yameru	dừng	หยุด/เลิก/ปิด
		berhenti	ရပ်သည်

ちょっと 作業を 止めて ください。
<ruby>作<rt>さ</rt></ruby><ruby>業<rt>ぎょう</rt></ruby>　<ruby>止<rt>や</rt></ruby>

Please stop working for a while. / 请停止一下作业。
Hãy dừng công việc trong giây lát.
กรุณาหยุดการทำงานสักครู่ครับ/ค่ะ
Tolong berhenti kerja sebentar.
လုပ်ငန်းကို ခဏလောက် ရပ်ပါ။

	そうさ	operate	操作
167	**操作** (する)	thao tác	สั่งงาน(เครื่องจักร)
	sōsa	mengoperasikan	မောင်းနှင်သည်

そうさ ばん きかい そうさ
操作盤で 機械を 操作します。
Operate the machine using the control panel. / 用操作盘操作机器。
Thao tác máy bằng bảng thao tác.
สั่งงานเครื่องจักรด้วยแผงควบคุมครับ/ค่ะ
Mengoperasikan mesin dengan panel operasi.
ခလုတ်ခုံဖြင့် စက်ပစ္စည်းကို မောင်းနှင်ပါမည်။

	ちょうせい	adjust	调整
168	**調整** (する)	điều chỉnh	ปรับ
	chōsei	mengatur	ချိန်ညှိသည်

せんばん ちょうせい
旋盤は どうやって 調整しますか。
How do you adjust the lathe? / 车床怎么调整?
Làm thế nào để điều chỉnh máy tiện?
ปรับเครื่องกลึงอย่างไรหรือครับ/ค่ะ
Bagaimana cara mengatur mesin bubut?
တွင်ခုံကို ဘယ်လိုချိန်ညှိရပါသလဲ။

	あなを あける	make a hole	开洞
169	**穴を あける**	tạo lỗ	เจาะรู
	ana o akeru → p.64	membuat lubang	အပေါက်ဖောက်သည်

あな
ドリルで 穴を あけます。
Use the drill to make a hole. / 用钻头钻孔。
Tạo lỗ bằng mũi khoan.
เจาะรูด้วยสว่านครับ/ค่ะ
Membuat lubang dengan bor.
drill ဖြင့် အပေါက်ဖောက်ပါမည်။

	ねじを しめる	tighten a screw	拧紧螺丝
170	**ねじを 締める**	vặn vít	ขันสกรู
	neji o shimeru → p.64	mengencangkan sekrup	ဝက်အူကျပ်သည်

し
ドライバーで ねじを 締めます。
Tighten the screw with a screwdriver. / 用螺丝刀拧紧螺丝。
Vặn vít bằng tuốc nơ vít.
ใช้ไขควงขันสกรูครับ/ค่ะ
Mengencangkan sekrup dengan obeng.
ဝက်အူလှည့်ဖြင့် ဝက်အူကို ကျပ်ပါမည်။

171	とりつける	mount/install	安装
	取り付ける	gắn vào	ติดตั้ง
	toritsukeru → p.64	memasang	တပ်ဆင်သည်

エンジンに 部品を 取り付けます。

Install the part to the engine. / 给发动机安装零件。

Lắp linh kiện vào động cơ.

ติดตั้งชิ้นส่วนที่เครื่องยนต์ครับ/ค่ะ

Memasang suku cadang pada mesin.

အင်ဂျင်တွင် အစိတ်အပိုင်းကို တပ်ဆင်ပါမည်။

172	とりはずす	dismount/remove	拆卸
	取り外す	tháo ra	ถอดออก
	torihazusu → p.64	melepas	ဖြုတ်သည်

エンジンから 部品を 取り外します。

Remove the part from the engine. / 从发动机上拆下零件。

Tháo linh kiện khỏi động cơ.

ถอดชิ้นส่วนออกจากเครื่องยนต์ครับ/ค่ะ

Melepas suku cadang dari mesin.

အင်ဂျင်မှ အစိတ်အပိုင်းကို ဖြုတ်ပါမည်။

173	ぶんかい	disassemble	分解／拆卸
	分解 [する]	tháo rời	ถอดแยก(ชิ้นส่วน)/ชำแหละ
	bunkai	membongkar	တစ်စစီဖျက်သည်

欠陥品を 分解します。

Disassemble the defective unit. / 分解缺陷品。

Tháo rời sản phẩm bị lỗi.

ถอดแยกชิ้นส่วนผลิตภัณฑ์ที่มีตำหนิครับ/ค่ะ

Membongkar produk yang cacat.

ချွတ်ယွင်းထုတ်ကုန်များကို တစ်စစီဖျက်ပါမည်

174	こうかん	exchange	交换
	交換 [する]	thay thế	จะเปลี่ยนชิ้นส่วนให้เป็นอันใหม่ครับ/ค่ะ
	kōkan	mengganti	လဲလှယ်သည်

部品を 新しい ものに 交換します。

Exchange the part for a new one. / 把零件换成新的。

Thay linh kiện mới.

จะเปลี่ยนชิ้นส่วนให้เป็นอันใหม่ครับ/ค่ะ

Mengganti suku cadang dengan yang baru.

အစိတ်အပိုင်းကို ပစ္စည်းအသစ်ဖြင့် လဲလှယ်ပါမည်။

	はかる	measure	測量
175	**はかる**	đo	วัด/ชั่ง/ตวง
	hakaru	mengukur	တိုင်းတာသည်

_{なが}
長さを　はかります。
Measure the length. / 量长度。
Đo chiều dài.
วัดความยาวครับ/ค่ะ
Mengukur panjang.
အရှည်ကို တိုင်းတာပါမည်။

	かぞえる	count	数数／点数
176	**数える**	đếm	นับ
	kazoeru	menghitung	ရေတွက်သည်

_{ざい こ}
在庫を　数えます。
Count stock. / 清点库存。
Đếm hàng tồn kho.
นับจำนวนของในสต๊อกครับ/ค่ะ
Menghitung stok.
လက်ကျန်ပစ္စည်းများကို ရေတွက်ပါမည်။

	みがく	polish	磨光／打磨
177	**みがく**	đánh bóng	ขัด/ถู
	migaku	menggosok	တိုက်သည်

やすりで　みがきます。
Polish using a file. / 用锉刀锉。
Đánh bóng bằng giũa.
ขัดด้วยตะไบครับ/ค่ะ
Menggosok dengan kikir.
တံစဉ်းဖြင့် တိုက်ပါမည်။

169 穴_{あな}をあける

170 ねじを締_しめる

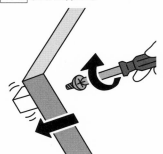

171 取_とり付_つける

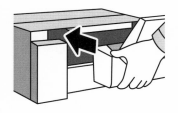

172 取_とり外_{はず}す

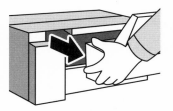

加工
かこう

Processing	加工
Gia công	การแปรรูป
Pengolahan	ကုန်ချောထုတ်လုပ်သည်

	ぷれすかこう	press	冲压加工
178	**プレス加工** (する)	gia công ép	กดปั๊มขึ้นรูป
	puresu-kakō　　→ p.68	mengepres	ဖိနှိပ်ပုံဖော်သည်

金型を　取り付けて、プレス加工します。
かながた　　と　　　　　　　　　　　　か　こう

Fit the mold and operate the press. / 安装模具，进行冲压加工。

Lắp khuôn rồi gia công ép.

ติดตั้งแม่พิมพ์แล้วปั๊มขึ้นรูปครับ/ค่ะ

Memasang cetakan dan mengepres.

သတ္တုပုံဖော်စက်အားတပ်ဆင်၍ ဖိနှိပ်ပုံဖော်ပါမည်။

	かねつ	heat	加热
179	**加熱** (する)	làm nóng	ให้ความร้อน
	kanetsu	memanaskan	အပူပေးသည်

原料を　加熱して、成形します。
げんりょう　　か　ねつ　　　　せいけい

Heat up the raw materials before molding. / 加热原料，并成形。

Làm nóng nguyên liệu rồi tạo hình.

ให้ความร้อนวัตถุดิบแล้วขึ้นรูปครับ/ค่ะ

Memanaskan bahan baku dan mencetaknya.

ကုန်ကြမ်းများကို အပူပေးပြီး ပြုလုပ်ပါမည်။

	れいきゃく	cool	冷却
180	**冷却** (する)	làm mát	หล่อเย็น
	reikyaku	mendinginkan	အအေးခံသည်

水で　エンジンを　冷却します。
みず　　　　　　　　れいきゃく

Cool the engine using water. / 用水冷却发动机。

Làm mát động cơ bằng nước.

หล่อเย็นเครื่องยนต์ด้วยน้ำครับ/ค่ะ

Mendinginkan mesin dengan air.

ရေဖြင့် အင်ဂျင်ကို အအေးခံပါမည်။

	かんそう	dry	干燥
181	乾燥 [する]	khô	ทำให้แห้ง/แห้ง
	kansō	mengeringkan	အခြောက်ခံသည်

表面が　乾燥してから　箱に　入れます。

Put it in the box after drying the surface. / 表面干燥后放进箱子里。

Sau khi bề mặt khô hãy cho vào hộp.

เมื่อผิวนอกแห้งแล้วจึงบรรจุกล่องครับ/ค่ะ

Memasukkan ke kotak setelah mengeringkan permukaan.

မျက်နှာပြင်အား အခြောက်ခံပြီးမှ သေတ္တာထဲသို့ ထည့်ပါမည်။

	けずる	grind	削
182	削る	gọt	ขูด/ไส/ฝน/กลึง/กัด
	kezuru	mengikis	ခြစ်ထုတ်သည်။ ချွန်သည်။

フライス盤で　ここを　削って　ください。

Please grind it here using the milling machine. / 请用铣床切削此处。

Hãy gọt chổ này bằng máy phay.

กรุณาใช้เครื่องมิลลิ่งกัดส่วนนี้ออกด้วยครับ/ค่ะ

Kikislah bagian sini dengan mesin frais.

ကြိတ်ခွဲစက်ဖြင့် ဤနေရာကို ချွန်ပါ။

	けんさく	grind	磨削
183	研削 [する]	bào	เจียร
	kensaku　→ p.68	mengikis	တိုက်စားသည်

研削して　薄く　します。

Grind it thinner. / 磨削减薄。

Bào mỏng đi.

เจียรให้บางลงครับ/ค่ะ

Mengikis untuk mempertipis.

တိုက်စား၍ပါးလွာအောင်ပြုလုပ်ပါမည်။

	せっさく	cut	切削
184	切削 [する]	cắt gọt	กลึง/กัดโลหะ
	sessaku　→ p.68	membubut	ဖြတ်ထုတ်သည်

旋盤で　材料を　切削します。

Cut the material using the lathe. / 用车床切削材料。

Cắt gọt vật liệu bằng máy tiện.

ใช้เครื่องกลึงกลึงวัสดุครับ/ค่ะ

Membubut bahan dengan mesin bubut.

တွင်ခုံတွင် ကုန်ကြမ်းကို ဖြတ်ပါမည်။

	けんま	polish	研磨
185	**研磨** (する)	đánh bóng	เจียระละเอียด/ ขัดให้เรียบเงา
	kenma　　　　→ p.69	memoles	တိုက်သည်

表面を　きれいに　研磨します。

Polish to smooth the surface. / 把表面研磨干净。

Đánh bóng bề mặt sạch sẽ.

เจียระเอียดผิวให้สวยงามครับ/ค่ะ

Memoles sampai permukaannya halus.

မျက်နှာပြင်ကို လုပ်စွာ တိုက်ပါမည်။

	せつだん	cut	切断
186	**切断** (する)	cắt	ตัด/หั่น
	setsudan　　　　→ p.69	memotong	ဖြတ်တောက်သည်

材料を　二つに　切断します。

Cut the material into two. / 把材料切成两半。

Cắt vật liệu làm đôi.

ตัดวัสดุเป็นสองชิ้นครับ/ค่ะ

Memotong bahan baku menjadi dua.

ကုန်ကြမ်းကို နှစ်ခု ဖြတ်ပါမည်။

	ばりとり	remove burr	去毛刺
187	**バリ取り** (する)	làm sạch bavia	ลบครีบ
	baritori　　　　→ p.69	menghilangkan tonjolan tajam	အစွန်းထွက်များကို ဖြတ်သည်

やすりで　バリ取りを　して　ください。

Please remove burrs using a file. / 请用锉去毛刺。

Hãy làm sạch bavia bằng giũa.

กรุณาลบครีบด้วยตะไบครับ/ค่ะ

Hilangkanlah tonjolan yang tajam dengan kikir.

တံစဉ်းဖြင့် အစွန်းထွက်များကို ဖြတ်ပါ။

178 プレス加工（かこう）

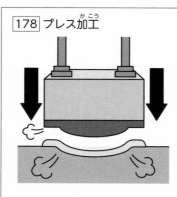

183 研削（けんさく）

184 切削（せっさく）

研削盤（けんさくばん）（グラインダー）を使（つか）い、高（こう）速回転（そくかいてん）する砥石（といし）に削（けず）りたいものを押（お）し当（あ）て、少（すこ）しずつ削（けず）ること。

To use a grinder to grind a little at a time off of an object by applying a rapidly rotating grindstone to it.

使用磨床，把想切削的东西按压到高速旋转的砂轮上，一点一点地磨削。

Đây là công việc sử dụng máy mài (grinder), ấn chi tiết muốn mài vào đá mài đang quay ở tốc độ cao và mài từng chút một.

การใช้เครื่องเจียร (grinder) กดไปที่ตัวของชิ้นงานด้วยแผ่นหินเจียรที่หมุนด้วยความเร็วสูง แล้วเจียรผิวของชิ้นงานออกทีละน้อย

Dengan memakai gerinda, mengikis benda yang ingin dikikis sedikit demi sedikit dengan menempelkan dan menekankannya ke batu gerinda yang berputar dengan kecepatan tinggi.

တိုက်စားစက် (grinder) ကို အသုံးပြု၍ အရှိန်မြန်မြန် လည်ပတ်နေသော ဆားသွေးကျောက်မှ တိုက်စားလိုသည့် အရာကို ဖိကာ နည်းနည်းချင်း တိုက်စားခြင်း။

切削工具（せっさくこうぐ）を使（つか）い、工具（こうぐ）の刃先（はさき）を連続（れんぞく）して当（あ）てることで物（もの）を削（けず）ること。

To use a cutting tool to shave an object by continuously applying the edge of the tool to it.

使用切削工具，通过连续接触工具的刀尖来切削。

Đây là công việc sử dụng công cụ cắt gọt để cắt gọt chi tiết gia công bằng cách áp liên tục lưỡi cắt của công cụ vào chi tiết.

การใช้เครื่องมือกลึงโลหะ โดยกดปลายใบมีดให้แตะกับชิ้นงานอย่างต่อเนื่อง เพื่อเซาะเนื้อของชิ้นงาน

Dengan memakai alat bubut, membubut benda dengan mengenakan ujung tajam alat ke benda kerja secara terus-menerus.

ဖြတ်ထုတ်သည့် ကိရိယာကို အသုံးပြု၍ ကိရိယာ၏ ထိပ်ဖျားကို အဆက်မပြတ် ထိပေးခြင်းဖြင့် ပစ္စည်းများကို ဖြတ်ထုတ်ခြင်း။

185 研磨（けんま）

工作物（こうさくぶつ）に砥粒（とりゅう）（硬（かた）い粒子（りゅうし））を押（お）し付（つ）け、断続的（だんぞくてき）にこすって表面（ひょうめん）を削（けず）り滑（なめ）らかにすること。

To smooth the surface of a piece of work by intermittently rubbing it with an abrasive (hard particles).

把磨粒（硬颗粒）压在工件上，断断续续地摩擦表面，使其光滑。

Đây là việc ấn các hạt mài (hạt cứng) lên vật gia công, chà xát gián đoạn để mài mịn bề mặt.

การใช้วัสดุผิวสาก (เป็นเม็ดแข็งเล็กละเอียด) ไปขัดสีกับพื้นผิวของชิ้นงานเป็นระยะ ๆ เพื่อทำให้ผิวเรียบลื่น

Memetalkan butiran abrasif (partikel keras) pada benda kerja, dan menggosok sesekali permukaannya untuk mengikis dan menjadikan permukaannya halus.

လုပ်နေသောပစ္စည်းအား၊ ပွန်းပဲ့စေသောအစေ့ (မာကြောသော အစေ့များ) ဖြင့် ဖိပေးကာ၊ ဆက်တိုက် ပွတ်တိုက်ပေးခြင်းဖြင့် မျက်နှာပြင်ကို ချောမွေ့သွားစေရန် ပြုလုပ်ခြင်း။

186 切断（せつだん）

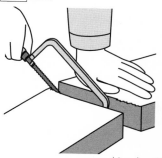

はさみやのこぎりなどで物（もの）を切（き）り離（はな）すこと。

To cut an object using scissors, a saw, etc.

用剪刀或锯等把东西切开。

Đây là công việc cắt rời chi tiết gia công bằng kéo hoặc cưa, vv...

การใช้กรรไกรหรือเลื่อยตัดวัตถุให้ขาดจากกัน

Memisahkan barang dengan cara dipotong memakai gunting atau gergaji.

ကတ်ကြေးနှင့် လွှစက်များဖြင့် ပစ္စည်းများကို ဖြတ်တောက်ခြင်း။

187 バリ取（と）り

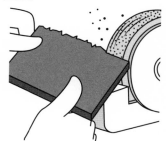

「バリ」と呼（よ）ばれる、金属（きんぞく）や樹脂（じゅし）などを加工（かこう）するときにできる不要（ふよう）な部分（ぶぶん）を取（と）り除（のぞ）くこと。

To remove unnecessary parts called burrs generated in processing of metals, plastics, etc.

去除被称为"毛刺"的加工金属和树脂等时产生的不需要的部分。

Đây là công việc loại bỏ các phần không cần thiết sinh ra khi gia công kim loại hoặc nhựa, gọi là "bavia".

คือการกำจัดส่วนไม่พึงประสงค์ที่เรียกว่า "ครีบ" ซึ่งเกิดขึ้นเวลาที่แปรรูปโลหะหรือเรซิ่น เป็นต้น

Menghilangkan bagian yang tidak diperlukan yang muncul dari hasil pemrosesan logam dan resin, yang disebut "bari(tonjolan tajam)".

"အစွန်းထွက်" ဟုခေါ်သော သတ္တုနှင့် သစ်စေး၊ စသည်တို့ကို ထုတ်လုပ်ချိန်တွင် ဖြစ်လာသော မလိုအပ်သည့် အစိတ်အပိုင်းများကို ဖြစ်ထုတ်ခြင်း။

ユニット 5

工作機械（こうさくきかい）

Machine tools　工作机械

Máy công cụ　เครื่องมือกล

Mesin Perkakas　စက်ပစ္စည်းကိရိယာ

□ 188	こうさくきかい **工作機械** kōsaku-kikai	machine tool	工作机械
		máy công cụ	เครื่องมือกล
		mesin perkakas	စက်ပစ္စည်းကိရိယာ
□ 189	そうち **装置** sōchi	equipment	装置
		thiết bị	อุปกรณ์/เครื่อง
		peralatan	ပစ္စည်းကိရိယာ တန်ဆာပလာများ
□ 190	せんばん **旋盤** senban → p.73	lathe	车床
		máy tiện	เครื่องกลึง
		mesin bubut	ပွတ်ခုံ။ တွင်ခုံ
□ 191	ふらいすばん **フライス盤** furaisuban → p.73	milling machine	铣床
		máy phay	เครื่องกัด/เครื่องมิลลิ่ง
		mesin frais	ခွဲစက် (milling machine)
□ 192	ぼーるばん **ボール盤** bōruban → p.73	drill press	钻床
		máy khoan	เครื่องเจาะ
		mesin bor	လွန်။ ဖောက်စက်
□ 193	そうさばん **操作盤** sōsaban → p.73	control panel	控制台
		bảng điều khiển	แผงควบคุมสั่งงาน
		panel kontrol	ထိန်းချုပ်မျက်နှာပြင် (ဒက်ရှ်ဘုတ်ခ်)

194	でんげん **電源** dengen　→ p.74	power supply	电源	
		nguồn điện	แหล่งจ่ายไฟฟ้า	
		catu daya	ပင်မလျှပ်စစ်ထွက်ပေါက်	
195	こーど **コード** kōdo　→ p.74	cord	电线	
		dây nối nguồn điện	สายไฟฟ้า	
		kawat	ဓာတ်ကြိုး	
196	ぷらぐ **プラグ** puragu　→ p.74	plug	插头	
		giắc cắm	ปลั๊ก	
		steker	ပလပ်ပေါက်	
197	こんせんと **コンセント** konsento　→ p.74	electrical outlet	插座	
		ổ cắm điện	เต้ารับ	
		stopkontak	လျှပ်စစ်ထွက်ပေါက်။	
198	じく／しゃふと **軸／シャフト** jiku/shafuto　→ p.74	spindle/shaft	轴	
		trục	แกน/เพลา	
		poros	ဝင်ရိုး၊အရှင်	
199	ぎあ／ぎや **ギア／ギヤ** gia/giya　→ p.74	gear	齿轮／齿轮传动装置	
		bánh răng	เกียร์	
		roda gigi	ဂီယာ	
200	せんさー **センサー** sensā	sensor	传感器	
		cảm biến	เซ็นเซอร์	
		sensor	အာရုံခံကိရိယာ	
201	ねんりょう **燃料** nenryō	fuel	燃料	
		nhiên liệu	เชื้อเพลิง	
		bahan bakar	လောင်စာဆီ	

□ 202	はんどる **ハンドル** handoru → p.74	handle/ steering wheel	方向盘／摇把
		tay cầm	พวงมาลัยรถ
		setir/kemudi	စတီယာရင်
□ 203	めーたー **メーター** mētā → p.73	meter (gauge)	计量表
		đồng hồ đo	มิเตอร์
		meter (alat pengukur)	မီတာ။ တိုင်းတာရေးကိရိယာ
□ 204	らんぷ **ランプ** ranpu → p.73	lamp	灯
		bóng đèn	ไฟให้แสงสว่าง
		lampu	မီးခွက်။ မီးသီး
□ 205	ればー **レバー** rebā → p.74	lever	控制杆
		cần gạt	คันโยก
		tuas	စက်အရှိန်ထိန်း မောင်းတံ
□ 206	すいっち **スイッチ** suitchi → p.74	switch	开关
		công tắc	สวิตช์
		sakelar	ခလုတ်
□ 207	ぼたん **ボタン** botan → p.73	button	按钮
		nút	ปุ่ม
		tombol	ခလုတ်

190 旋盤（せんばん）

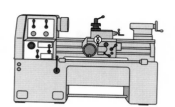

191 フライス盤（ばん）

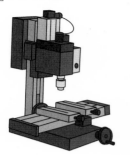

192 ボール盤（ばん）

193 操作盤（そうさばん）

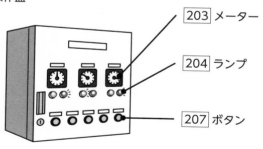

203 メーター

204 ランプ

207 ボタン

73

194 電源

196 プラグ

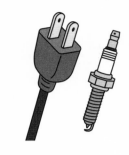

197 コンセント

195 コード

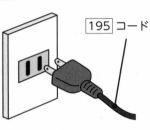

199 ギア／ギヤ

198 軸／シャフト

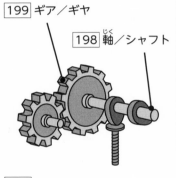

202 ハンドル

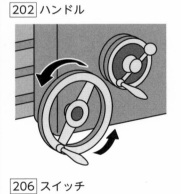

205 レバー

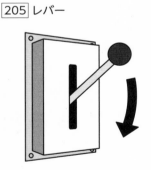

206 スイッチ

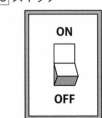

ON

OFF

ユニット 6

こうてい
工程

Process flow	工序
Công đoạn	กระบวนการ
Proses Kerja	ลบขั้นตอนอะขั้งออะขั้ง

☐ 208	げんりょう **原料** genryō	feedstock/ raw materials	原料
		nguyên liệu	วัตถุดิบ
		bahan baku	ကုန်ကြမ်းပစ္စည်းများ
☐ 209	たんぞう **鍛造** (する) tanzō → p.78	forge	锻造
		rèn	ขึ้นรูปโลหะโดย การปั๊ม/ทุบ/กด/ตี
		menempa	ပုံဖော်ထုတ်လုပ်သည်

ボルトを 鍛造します。
Forge a bolt. / 锻造螺栓。
Rèn bu lông.
ปั๊มขึ้นรูปตะปูเกลียวครับ/ค่ะ
Menempa baut.
bolt အား ပုံဖော်ထုတ်လုပ်ပါမည်။

☐ 210	ちゅうぞう **鋳造** (する) chūzō → p.78	cast	铸造
		đúc	ขึ้นรูปโลหะโดย การหลอมและหล่อ
		mengecor	(မှ)ပုံစံခွက်ထဲသို့လောင်း သည်

部品を 鋳造します。
Cast a part. / 铸造零件。
Đúc linh kiện.
หล่อขึ้นรูปชิ้นส่วนครับ/ค่ะ
Mengecor suku cadang.
အစိတ်အပိုင်းများကို ပုံဖော်ထုတ်လုပ်ပါမည်။

75

211 ☐	こんぽう **梱包** (する)	pack	捆包
		đóng gói	บรรจุหีบห่อ
	konpō → p.78	mengepak	ထုပ်ပိုးသည်

製品を 箱に 入れて 梱包します。
Put the product in the box and wrap it. / 把产品放在箱子里打包。
Cho sản phẩm vào thùng rồi đóng gói.
ใส่ผลิตภัณฑ์ในกล่องแล้วทำการบรรจุหีบห่อครับ/ค่ะ
Memasukkan produk ke dalam kotak dan mengepaknya.
ထုတ်ကုန်များကို သေတ္တာထဲတွင်ထည့်ပြီး ထုပ်ပိုးပါမည်။

212 ☐	せいけい **成形** (する)	mold	成形
		tạo hình	ขึ้นรูป(ชิ้นงาน)
	seikei	mencetak	ပုံသွင်းသည်

成形機に 材料を 入れて 成形します。
Put the materials in the molding machine and mold them. / 把材料放在成形机里成用。
Cho vật liệu vào máy tạo hình rồi tạo hình.
ใส่วัตถุดิบเข้าไปในเครื่องขึ้นรูปแล้วจึงค่อยขึ้นรูปครับ/ค่ะ
Memasukkan bahan ke dalam mesin cetak dan mencetaknya.
ပုံသွင်းစက်တွင် ကုန်ကြမ်းကို ထည့်ပြီး ပုံသွင်းပါမည်။

213 ☐	せんべつ **選別** (する)	select	挑选
		phân loại	คัดแยก
	senbetsu	memilah	ရွေးချယ်ခွဲခြားသည်

いい ものと 悪い ものに 選別します。
Separate the good ones from the bad ones. / 筛选成合格和次品。
Phân loại ra hàng tốt và hàng xấu.
คัดแยกของที่ดีและของที่ไม่ดีออกจากกันครับ/ค่ะ
Memilah barang yang baik dan buruk.
ပစ္စည်းကောင်းနှင့် မကောင်းတဲ့ပစ္စည်းကို ရွေးချယ်ခွဲခြားပါမည်။

214 ☐	ようせつ **溶接** (する)	weld	焊接
		hàn	เชื่อมโลหะ
	yōsetsu	mengelas	ဂဟေဆော်သည်

ここに 部品を 溶接して ください。
Please weld the part here. / 请把零件焊接在这里。
Hãy hàn linh kiện vào đây.
กรุณาเชื่อมชิ้นส่วนเข้ากับตรงนี้ครับ/ค่ะ
Tolong las suku cadang di sini.
ဤနေရာတွင် အစိတ်အပိုင်းများကို ဂဟေဆော်ပါ။

☐ **215**	とそう **塗装** [する] tosō	paint sơn mengecat	涂装 ทา/เคลือบ/พ่น/ทำสี ဆေးသုတ်၊ ဆေးမှုတ်သည်

車の ボディーを 塗装します。

Paint the auto body. / 涂装车身。

Sơn thân xe.

พ่นเคลือบสีของตัวถังรถยนต์ครับ/ค่ะ

Mengecat bodi mobil.

ကားကိုယ်ထည်ကို ဆေးသုတ်ပါမည်။

☐ **216**	ほうそう **包装** [する] hōsō → p.78	wrap gói mengemas	包装 ห่อ/หุ้ม ထုပ်ပိုးသည်

製品は きれいに 包装して くださいね。

Be sure to wrap the products well. / 请把产品包装整洁。

Hãy gói sản phẩm gọn gàng.

กรุณาห่อผลิตภัณฑ์ให้สวยงามนะครับ/ค่ะ

Tolong kemas produk dengan rapi, ya.

ထုတ်ကုန်များကို လှပစွာ ထုပ်ပိုးပါနော်။

209 鍛造 <ruby>鍛造<rt>たんぞう</rt></ruby>

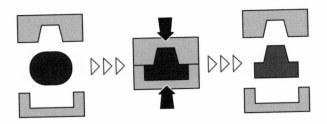

210 鋳造 <ruby>鋳造<rt>ちゅうぞう</rt></ruby>

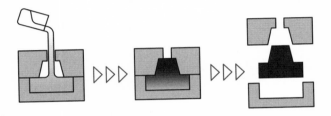

216 包装 <ruby>包装<rt>ほうそう</rt></ruby>　　211 梱包 <ruby>梱包<rt>こんぼう</rt></ruby>　　009 出荷 <ruby>出荷<rt>しゅっか</rt></ruby>

在庫
ざい こ

	Inventory	库存
	Tồn kho	สินค้าคงคลัง/สต๊อก
	Stok	လက်ကျန်ပစ္စည်း

		warehouse	仓库
217	そうこ **倉庫** sōko	kho	โกดัง/คลังสินค้า
		gudang	ကုန်လှောင်ရုံ၊ ဂိုဒေါင်
218	こうばい **購買** [する] kōbai	purchase	购买
		mua hàng	จัดซื้อ
		membeli	အရောင်း

購買計画を 見て、材料を 買います。
こうばいけいかく み ざいりょう か

Purchase materials looking at the purchasing plans. / 看采购计划，买材料。

Xem kế hoạch mua hàng và mua vật liệu.

ดูแผนการจัดซื้อแล้วจึงซื้อวัตถุดิบครับ/ค่ะ

Melihat rencana pembelian dan membeli bahan baku.

အရောင်းစီမံကိန်းအားကြည့်၍ ကုန်ကြမ်းများကိုဝယ်ပါမည်။

		purchase	购入／购买
219	こうにゅう **購入** [する] kōnyū	mua	ซื้อ
		membeli	ဝယ်ယူသည်

在庫を 見てから 部品を 購入しますね。
ざい こ み ぶ ひん こうにゅう

I will check the stock before purchasing parts. / 我确认库存后再购买零件哦。

Sau khi xem hàng tồn kho xong tôi sẽ mua linh kiện nhé.

ขอดูสต๊อกก่อนแล้วค่อยซื้อชิ้นส่วนนะครับ/ค่ะ

Membeli suku cadang setelah melihat stok, ya.

လက်ကျန်ပစ္စည်းများကိုကြည့်ပြီးမှ အစိတ်အပိုင်းများကို ဝယ်ယူပါမယ်နော်။

	ちゅうもん	order	订货
220	注文 する	đặt hàng	สั่งซื้อ
	chūmon	memesan	အော်ဒါ

お客様から 注文が 来ました。
An order has been received from a customer. / 客户来了订单。
Đã nhận được đơn đặt hàng từ khách hàng.
มีการสั่งซื้อจากลูกค้าครับ/ค่ะ
Pesanan datang dari pelanggan.
ဝယ်ယူသူထံမှ အော်ဒါရောက်လာခဲ့ပါသည်။

	しかかりひん	work in process	在制品
221	仕掛品	sản phẩm dở dang	ของที่ยังอยู่ระหว่างการผลิต
	shikakarihin	barang dalam proses produksi	ထုတ်လုပ်ဆဲကုန်ကြမ်းများ

	にゅうか	be in stock/be delivered	进货／到货
222	入荷 する	nhập kho	(ของ)เข้ามาถึง
	nyūka	datang	ကုန်ပစ္စည်းရောက်လာသည်

部品が 入荷しました。
The parts have been delivered. / 零件到货了。
Linh kiện đã nhập kho.
ชิ้นส่วนเข้ามาถึงแล้วครับ/ค่ะ
Suku cadang sudah datang.
အစိတ်အပိုင်းများ ရောက်ရှိလာခဲ့ပါသည်။

	はんにゅう	transport	搬入
223	搬入 する	chuyển vào	ขนเข้า
	hannyū	memasukkan	သယ်ဆောင်သည်

荷物を 倉庫に 搬入して ください。
Please transport the cargo to the warehouse. / 请把货物搬入仓库。
Hãy chuyển hàng hóa vào kho.
กรุณาขนของเข้าไปไว้ในโกดังครับ/ค่ะ
Tolong masukkan barang ke gudang.
ပစ္စည်းများကို ဂိုဒေါင်သို့ သယ်ဆောင်သွားပါ။

	ほかん	store	保管
224	**保管** する	bảo quản	จัดเก็บ
	hokan	menyimpan	သိုလှောင်ထိန်းသိမ်းသည်

<ruby>部品<rt>ぶひん</rt></ruby>は　<ruby>倉庫<rt>そうこ</rt></ruby>で　<ruby>保管<rt>ほかん</rt></ruby>して　います。

The parts are stored in the warehouse. / 零件保管在仓库里。

Linh kiện đang được bảo quản trong kho.

จัดเก็บชิ้นส่วนในโกดังครับ/ค่ะ

Suku cadang disimpan di gudang.

အစိတ်အပိုင်းများကို ဂိုဒေါင်တွင် ထိန်းသိမ်းထားပါသည်။

	ふぉーくりふと	forklift	叉车
225	**フォークリフト**	xe nâng	รถยก
	fōkurifuto	forklift	forklift (ဝန်ပင့်ယာဉ်)
	こんてな	container	集装箱
226	**コンテナ**	container	ตู้คอนเทนเนอร์
	kontena	peti kemas	ထည့်စရာ
	だんぼーる	cardboard	瓦楞纸板
227	**段ボール**	thùng các tông	ลังกระดาษ
	danbōru	kardus	ကတ်ထူပုံး

自動車
じどうしゃ

		Automobile	汽车
		Ô tô	รถยนต์
		Mobil	ကား

		body	车身
228	ぼでぃー **ボディー** bodī	thân xe	ตัวถังรถ/บอดี้รถ
		bodi	ကိုယ်ထည်
229	しゃりょう **車両** sharyō	vehicle	车辆
		xe cộ	รถ/ยานพาหนะ
		kendaraan	ယာဉ်တွဲ
230	えんじん **エンジン** enjin	engine	引擎
		động cơ	เครื่องยนต์
		mesin	အင်ဂျင်
231	たいや **タイヤ** taiya	tire	车胎
		lốp/vỏ xe	ยางรถ
		ban	တာယာ
232	とらんすみっしょん **トランスミッション** toransumisshon	transmission	变速器
		hộp truyền động	ระบบเกียร์รถ
		transmisi	အမြန်နှုန်းပြောင်း လဲသည့်အစိတ်အပိုင်း
233	さすぺんしょん **サスペンション** sasupenshon	suspension	悬挂
		hệ thống giảm xóc	โช้คอัพ
		suspensi	တွဲလဲဆွဲထားခြင်း၊ ဆိုင်းငံ့ထားခြင်း

☐ 234	べありんぐ **ベアリング** bearingu	bearing	軸承	
		vòng bi	ตลับลูกปืน/แบริ่ง	
		bantalan	bearing	
☐ 235	がそりん **ガソリン** gasorin	gasoline/petrol	汽油	
		xăng	น้ำมันเบนซิน/ แก๊สโซลีน	
		bensin	ဓာတ်ဆီ	
☐ 236	ぶれーき **ブレーキ** burēki	brake	刹车	
		phanh	เบรก	
		rem	ဘရိတ်	
☐ 237	らじえーたー **ラジエーター** rajiētā	radiator	散热器	
		bộ tản nhiệt	หม้อน้ำ	
		radiator	အပူရှိန်၊ ရေနွေးငွေ့ပြန် စေသောကိရိယာ	

生産管理
せいさんかんり

		Production management	生産管理
		Quản lý sản xuất	การควบคุมการผลิต
		Manajemen Produksi	ထုတ်လုပ်မှုစီမံခန့်ခွဲခြင်း

238	せいさんかんり **生産管理** seisan-kanri	production management	生产管理
		quản lý sản xuất	การควบคุมการผลิต
		manajemen produksi	ထုတ်လုပ်မှုစီမံခန့်ခွဲခြင်း
239	せいさんけいかく **生産計画** seisan-keikaku	production planning	生产计划
		kế hoạch sản xuất	แผนการผลิต
		rencana produksi	ထုတ်လုပ်ရေးစီမံကိန်း
240	せいさんこうりつ **生産効率** seisan-kōritsu	production efficiency	生产效率
		hiệu quả sản xuất	ประสิทธิภาพการผลิต
		efisiensi produksi	production efficiency
241	せいさんのうりょく **生産能力** seisan-nōryoku	production capability	生产能力
		năng lực sản xuất	กำลังการผลิต
		kapasitas produksi	ထုတ်လုပ်နိုင်စွမ်း
242	せいさんほうしき **生産方式** seisan-hōshiki	production system	生产方式
		phương thức sản xuất	วิธีการผลิต
		metode produksi	ထုတ်လုပ်ရေးစနစ်
243	せいぞうひんもく **製造品目** seizō-hinmoku	line of products	制造项目
		mặt hàng sản xuất	รายการสินค้าที่ผลิต
		barang yang diproduksi	ထုတ်ကုန်ပစ္စည်း

□ 244	げんか **原価** genka	prime cost	原价
		giá vốn	ราคาต้นทุน
		biaya utama	မူရင်းကုန်ကျစရိတ်
□ 245	ひよう **費用** hiyō	cost/expense	费用
		phí tổn	ค่าใช้จ่าย
		biaya	ကုန်ကျစရိတ်
□ 246	たいりょうせいさん／りょうさん **大量生産／量産** する tairyō-seisan/ryōsan	mass produce	批量生产
		sản xuất hàng loạt/ sản xuất với số lượng lớn	ผลิตจำนวนมาก
		memproduksi massal	ပမာဏများ စွာထုတ်လုပ်သည်

ラインで 製品を 大量生産して います。
<small>せいひん</small> <small>たいりょうせいさん</small>

Products are mass produced on the production line. / 在生产线上大量生产产品。

Sản xuất hàng loạt sản phẩm trên dây chuyền.

ที่ไลน์การผลิตกำลังผลิตสินค้าจำนวนมากครับ/ค่ะ

Memproduksi massal produk di line produksi.

lineတွင် ထုတ်ကုန်များကို ပမာဏများစွာ ထုတ်လုပ်လျက်ရှိပါသည်။

□ 247	こうすう **工数** kōsū	man-hours	工时
		số công lao động	ชั่วโมงแรงงาน
		jam kerja	လုပ်ရမည့်အလုပ်ပမာဏ
□ 248	りーどたいむ **リードタイム** rīdotaimu	lead time	前置期
		thời gian sản xuất	ลีดไทม์
		lead time	ကုန်စထုတ်ချိန်မှ ပြီးချိန်ထိကြာချိန်
□ 249	かどうりつ **稼働率** kadōritsu	operating rate	运转率
		hiệu suất hoạt động	อัตราการใช้งาน
		tingkat utilisasi	စက်စွမ်းအား နဲ့ထုတ်လုပ်နိုင်တဲ့အချိုး

	ほぜん	maintain	保全
☐ 250	**保全** する	bảo trì	บำรุงรักษา
	hozen	melakukan pemeliharaan	ထိန်းသိမ်း စောင့်ရှောက်သည်

整備保全を　して、部品を　交換します。

Do maintenance and replace parts. / 进行维修保养，更换零件。

Thực hiện bảo trì tu bổ và thay thế linh kiện.

ทำการบำรุงรักษาและเปลี่ยนชิ้นส่วนครับ/ค่ะ

Melakukan pemeliharaan dan mengganti suku cadang.

ပြုပြင်ထိန်းသိမ်းမှုပြုလုပ်ပြီး အစိတ်အပိုင်းကို လဲလှယ်ပါမည်။

	せいび	maintain/service	整备
☐ 251	**整備** する	tu bổ	ซ่อมบำรุง
	seibi	melakukan pemeliharaan	ပြုပြင်ထိန်းသိမ်းသည်

車両の　整備を　します。

Maintain vehicles. / 保养车辆。

Tu bổ toa xe.

ซ่อมบำรุงตัวรถครับ/ค่ะ

Melakukan pemeliharaan kendaraan.

မော်တော်ယာဉ်၏ ပြုပြင်ထိန်းသိမ်းမှုကို ပြုလုပ်မည်။

	せつびてんけん	inspect equipment	设备点检
☐ 252	**設備点検** する	kiểm tra thiết bị	ตรวจสอบอุปกรณ์
	setsubi-tenken	memeriksa peralatan	ပစ္စည်းကိရိယာများ စစ်ဆေးသည်

機械を　止めて、設備点検を　します。

Stop the machinery and inspect the equipment. / 停止机器，检查设备。

Dừng máy và kiểm tra thiết bị.

หยุดเครื่องจักรแล้วตรวจสอบอุปกรณ์ครับ/ค่ะ

Menghentikan mesin dan memeriksa peralatannya.

စက်ပစ္စည်းများကို ရပ်တန့်၍ ပစ္စည်းကိရိယာများစစ်ဆေးခြင်းကို ပြုလုပ်ပါမည်။

	しょうえね	saving energy	节能
☐ 253	**省エネ**	tiết kiệm năng lượng	ประหยัดพลังงาน
	shō-ene	penghematan energi	စွမ်းအင်ချွေတာခြင်း

設計・開発
<small>せっけい かいはつ</small>

Design and development	设计・开发	
Thiết kế và phát triển	การออกแบบ·พัฒนา	
Desain dan Pengembangan	ဒီဇိုင်းဆွဲခြင်း၊ တီထွင်ခြင်း	

	せっけい・かいはつ	design and develop	设计・开发
☐ 254	**設計・開発** (する)	thiết kế và phát triển	ออกแบบ·พัฒนา
	sekkei・kaihatsu	mendesain dan mengembangkan	ဒီဇိုင်းဆွဲသည်၊ တီထွင်သည်

<small>だれ しんせいひん せっけい かいはつ</small>
誰が 新製品の 設計・開発を しますか。
Who designs and develops new products? / 谁设计开发新产品?
Ai là người thiết kế và phát triển sản phẩm mới?
ใครเป็นคนออกแบบและพัฒนาผลิตภัณฑ์ใหม่ครับ/คะ
Siapa yang mendesain dan mengembangkan produk baru?
မည်သူက ထုတ်ကုန်ပစ္စည်းအသစ်၏ ဒီဇိုင်းဆွဲခြင်း၊တီထွင်ခြင်းကို ပြုလုပ်ပါမည်နည်း။

	しじょうちょうさ	do market research	市场调查
☐ 255	**市場調査** (する)	khảo sát thị trường	สำรวจตลาด
	shijō-chōsa	melakukan riset pasar	ဈေးကွက်စစ်တမ်း ပြုလုပ်သည်

<small>し じょうちょう さ せいひん かいはつ</small>
市場調査を して、製品を 開発します。
We conduct market research and develop products. / 做市场调查后,开发产品。
Chúng tôi khảo sát thị trường và phát triển sản phẩm.
สำรวจตลาดแล้วจึงพัฒนาผลิตภัณฑ์ครับ/ค่ะ
Melakukan riset pasar dan mengembangkan produk.
ဈေးကွက်စစ်တမ်းကိုပြုလုပ်ပြီး ထုတ်ကုန်ကို တီထွင်ပါမည်။

	けんきゅう	study	研究
☐ 256	**研究** (する)	nghiên cứu	ศึกษาวิจัย
	kenkyū	meneliti	သုတေသနပြုသည်

<small>くに けんきゅう</small>
国で ロボットを 研究して いました。
I studied robotics in my country. / 我曾在国内研究机器人。
Tôi đã nghiên cứu về người máy trong nước.
เคยทำวิจัยเกี่ยวกับหุ่นยนต์ที่ประเทศของผม/ดิฉัน
Saya meneliti robot di negara saya.
အမိနိုင်ငံတွင် စက်ရုပ်သုတေသနကို ပြုလုပ်ခဲ့ပါသည်။

		analyze	分析
☐ 257	ぶんせき **分析** (する) bunseki	phân tích	วิเคราะห์
		menganalisis	ခွဲခြမ်းစိတ်ဖြာသည်

クレームを 分析しなければ なりません。

Complaints must be analyzed. / 必须分析投诉。

Bạn phải phân tích các khiếu nại.

ต้องวิเคราะห์ข้อร้องเรียนครับ/ค่ะ

Harus menganalisis klaim.

complain များကို မခွဲခြမ်းမစိတ်ဖြာ၍မရပါ။

		(technical) drawing	制図／绘图
☐ 258	せいず **製図** seizu	vẽ bản vẽ (kỹ thuật)	แบบร่างพิมพ์เขียว
		gambar rancangan	ပုံကြမ်းရေးဆွဲခြင်း

		front view	正视图
☐ 259	しょうめんず **正面図** shōmenzu	bản vẽ mặt trước	ภาพด้านหน้า
		tampak depan	ရှေ့မျက်နှာစာပြပုံ

		sample	样品／榜样
☐ 260	みほん **見本** mihon	mẫu	ตัวอย่าง
		sampel	နမူနာ

		sample	样品
☐ 261	さんぷる **サンプル** sanpuru	hàng mẫu	ตัวอย่าง
		sampel	နမူနာ

		prototype	试作品／样机
☐ 262	しさくひん **試作品** shisakuhin	sản phẩm làm thử	ตัวต้นแบบ
		prototipe	စမ်းသပ်ထုတ်ကုန်

		model	模型
☐ 263	もけい **模型** mokei	mô hình	โมเดลจำลอง
		model	မူပုံစံ

264	もっく **モック** mokku	mock-up	実体模型
		mô hình	แบบจำลอง
		model skala penuh	รูปจำลองขนาดเต็ม
265	もじゅーる **モジュール** mojūru	module	模块
		mô-đun	โมดูล
		modul	သီးခြားယူနစ်
266	きょうつうか **共通化** (する) kyōtsūka	standardize	通用化
		chuẩn hóa chung	แชร์ร่วมกับรุ่นอื่น
		menyeragamkan	အံဝန်သတ်မှတ်သည်

<ruby>部品<rt>ぶ ひん</rt></ruby>を <ruby>共通化<rt>きょうつう か</rt></ruby>します。
We will standardize parts. / 将零件通用化。
Chúng tôi chuẩn hóa chung các linh kiện.
ใช้ระบบแชร์ชิ้นส่วนร่วมกับรุ่นอื่นครับ/ค่ะ
Menyeragamkan suku cadang.
အစိတ်အပိုင်းများကို အံဝန်သတ်မှတ်ပါမည်။

267	こうぞう **構造** kōzō	structure	构造
		cấu tạo	โครงสร้าง
		struktur	ဖွဲ့စည်းပုံ
268	けいさん **計算** (する) keisan	calculate	计算
		tính toán	คำนวณ
		menghitung	တွက်ချက်သည်

コストを <ruby>計算<rt>けいさん</rt></ruby>します。
We will calculate costs. / 计算成本。
Chúng tôi tính toán chi phí.
คำนวณต้นทุนครับ/ค่ะ
Menghitung biaya.
ကုန်ကျစရိတ်ကို တွက်ချက်ပါမည်။

測定・位置
そくてい・いち

Measurement and location	測定・位置	
Đo lường và vị trí	การวัด·ตำแหน่ง	
Pengukuran dan Lokasi	တိုင်းတာခြင်း၊ တည်နေရာ	

		measure/weigh	測定
☐ 269	そくてい **測定** (する) sokutei	cân/đo	วัด/ชั่ง/ตวง
		mengukur	တိုင်းတာသည်

<ruby>製品<rt>せいひん</rt></ruby>の <ruby>重<rt>おも</rt></ruby>さを <ruby>測定<rt>そくてい</rt></ruby>します。
Weigh products. / 测量产品的重量。
Cân trọng lượng sản phẩm.
ชั่งน้ำหนักของผลิตภัณฑ์ครับ/ค่ะ
Menimbang berat produk.
ထုတ်ကုန်၏အလေးချိန်ကို တိုင်းတာပါမည်။

		location	位置
☐ 270	いち **位置** ichi	vị trí	ตำแหน่ง
		lokasi	နေရာ

		dimension	尺寸
☐ 271	すんぽう **寸法** sunpō	kích thước	ขนาด
		dimensi	အရှည်၊ အတိုင်းအတာ

		measure	測量
☐ 272	けいそく **計測** (する) keisoku	đo lường	วัด/ชั่ง/ตวง
		mengukur	တိုင်းတာသည်

エンジンの <ruby>温度<rt>おんど</rt></ruby>を <ruby>計測<rt>けいそく</rt></ruby>します。
Measure the engine temperature. / 测量发动机的温度。
Đo nhiệt độ của động cơ.
วัดอุณหภูมิของเครื่องยนต์ครับ/ค่ะ
Mengukur temperatur mesin.
အင်ဂျင်၏အပူချိန်ကို တိုင်းတာပါ။

		measuring equipment	測量器
273	けいそくき **計測器** keisokuki	thiết bị đo	อุปกรณ์วัด
		alat pengukur	တိုင်းတာသည့်စက်
274	おんど **温度** ondo	temperature	温度
		nhiệt độ	อุณหภูมิ
		temperatur	အပူချိန်
275	そくど **速度** sokudo	speed	速度
		tốc độ	ความเร็ว
		kecepatan	အမြန်နှုန်း
276	のうど **濃度** nōdo	concentration	浓度
		nồng độ	ความเข้มข้น
		konsentrasi	ပြစ်ကျဲနှုန်း
277	すうりょう **数量** sūryō	quantity	数量
		số lượng	จำนวน
		kuantitas	ပမာဏ
278	ようりょう **容量** yōryō	capacity	容量
		dung lượng	ปริมาณความจุ
		volume/kapasitas	ဝင်ဆံ့သောပမာဏ
279	あつりょく **圧力** atsuryoku	pressure	压力
		áp suất	แรงดัน
		tekanan	ဖိအား
280	かんかく **間隔** kankaku	distance	间隔
		khoảng cách	ระยะห่าง
		interval	ကြားအကွာအဝေး

		component/ ingredient	成分
□ 281	せいぶん **成分** seibun	thành phần	ส่วนผสม
		komponen/ komposisi	ပါဝင်ပစ္စည်း
□ 282	たかさ **高さ** takasa	height	高度
		chiều cao	ความสูง
		tinggi	အမြင့်
□ 283	ながさ **長さ** nagasa	length	长度
		chiều dài	ความยาว
		panjang	အရှည်၊ အလျား
□ 284	おもさ **重さ** omosa	weight	重量
		trọng lượng	น้ำหนัก
		berat	အလေးချိန်
□ 285	あつさ **厚さ** atsusa	thickness	厚度
		độ dày	ความหนา
		ketebalan	အထူ
□ 286	かたさ **硬さ** katasa	hardness	硬度
		độ cứng	ความแข็ง
		kekerasan	မာကျောမှု
□ 287	ひょうめん **表面** hyōmen	surface	表面
		bề mặt	พื้นผิว
		permukaan	မျက်နှာပြင်

工具
こうぐ

Industrial tools	工具	
Công cụ	เครื่องมือช่าง	
Perkakas	စက်မှုလုပ်ငန်းသုံး ပစ္စည်းကိရိယာ	

☐ 288	こうぐ **工具** kōgu　→ p.95	industrial tool công cụ perkakas	工具 เครื่องมือช่าง စက်မှုလုပ်ငန်းသုံး ပစ္စည်းကိရိယာ
☐ 289	れんち **レンチ** renchi　→ p.95	wrench cờ lê kunci pas	扳手 ประแจ ဝွ၊ ဝွရှင်
☐ 290	ぺんち **ペンチ** penchi　→ p.95	pliers kìm tang	钳子 คีม ပလာယာ
☐ 291	どらいばー **ドライバー** doraibā　→ p.95	screwdriver tuốc nơ vít obeng	螺丝刀 ไขควง ဝက်အူလှည့်
☐ 292	どりる **ドリル** doriru　→ p.95	drill mũi khoan bor	钻孔机 สว่าน အပေါက်ဖောက်စက်
☐ 293	ねじ **ねじ** neji　→ p.95	screw vít sekrup	螺丝 ตะปูเกลียว ဝက်အူရစ်

93

☐ 294	ぼると **ボルト** boruto → p.95	bolt	螺栓
		bu lông	နီ့อตตัวผู้
		baut	အပိတ်ပါဝက်အူရှစ်
☐ 295	はんまー **ハンマー** hanmā → p.95	hammer	锤子
		búa	ค้อน
		palu	တူ
☐ 296	やすり **やすり** yasuri → p.95	file	锉刀
		giũa	ตะไบ
		kikir	တံစဉ်း
☐ 297	のぎす **ノギス** nogisu → p.95	vernier caliper	游标卡尺
		thước kẹp	เวอร์เนียร์คาลิเปอร์
		jangka sorong	လုံးပတ်တိုင်းကိရိယာ၊ ပိုက်ဂိုက်
☐ 298	ぱっきん **パッキン** pakkin → p.95	packing	衬垫
		vòng đệm kín	ปะเก็น
		karet perapat	မကွဲရှုအောင်ထုတ်ပိုး ရာတွင် သုံးသည့် ပစ္စည်း
☐ 299	まきじゃく／めじゃー **まきじゃく／メジャー** makijaku/mejā → p.95	tape measure	卷尺
		thước cuộn/ thước dây	สายวัด
		meter ukur	ပေကြိုး
☐ 300	まんりき **万力** manriki → p.95	vise	虎钳
		mỏ cặp	ปากกาจับชิ้นงาน
		catok besi	ထိန်းသွပ်စရာကိရိယာ တစ်မျိုးပြုတ်တူ
☐ 301	せっちゃくざい **接着剤** setchakuzai → p.95	adhesive	粘合剂
		keo dính	กาว
		lem/perekat	ကော်

289 レンチ

290 ペンチ

291 ドライバー

292 ドリル

293 ねじ

294 ボルト

295 ハンマー

296 やすり

297 ノギス

298 パッキン

299 まきじゃく／メジャー

300 万力

5m

301 接着剤

ひんしつかんり
品質管理

	Quality control	品质管理
	Quản lý chất lượng	การควบคุมคุณภาพ
	Manajemen Mutu	ကုန်ပစ္စည်းအရည်အသွေး စီမံခန့်ခွဲခြင်း

	きゅーしーかつどう	QC activity	QC 活动
302	**QC 活動**	hoạt động QC	กิจกรรมQC
	QC-katsudō	aktivitas manajemen mutu	အရည်အသွေးထိန်း ချုပ်မှုလုပ်ဆောင်ချက်များ

ひんしつかんり すす かつどう おこな おお
品質管理を進める活動。QC サークルというグループで行うことが多い。

Activities to promote quality control, often conducted in groups called QC circles.
推进质量管理活动。普遍通过 QC 小组的活动实施。
Đây là hoạt động thúc đẩy quản lý chất lượng. Công việc này thường được thực hiện theo nhóm gọi là vòng tròn QC.
กิจกรรมเพื่อส่งเสริมการควบคุมคุณภาพ มักทำกันเป็นกลุ่มที่มีชื่อเรียกว่า QCเซอร์เคิล
Aktivitas untuk melaksanakan manajemen mutu. Kebanyakan dilakukan dalam kelompok yang disebut QC Circle.
အရည်အသွေးကို ထိန်းချုပ်ထားနိုင်ရန် ဆောင်ရွက် လုပ်ဆောင်ချက်။ QC စက်ဝိုင်း ဟုခေါ်သည့် အုပ်စုဖြင့် လုပ်ဆောင်လေ့ရှိသည်။

	きゅーしーさーくる	QC circle	QC 团队
303	**QC サークル**	vòng tròn QC	QC เซอร์เคิล
	QC-sākuru	gugus kendali mutu/ gugus kecil	အရည်အသွေးထိန်း ချုပ်စစ်ဆေးသည့်အဖွဲ့

おな しょくば ない ひんしつかんりかつどう じしゅてき おこな しょう おお けいぞく
同じ職場内で、品質管理活動を自主的に行う小グループ。職場の改善を継続
てき ぜんいん おこな
的に、全員で行う。

Small groups autonomously carrying out quality control activities in the same workplace. All members work together to improve the workplace continuously.
在同一个职场内，自主进行质量管理活动的小组。全员一起不断改善职场。
Đây là một nhóm nhỏ trong cùng nơi làm việc, tự giác thực hiện hoạt động quản lý chất lượng. Tất cả thành viên trong nhóm sẽ liên tục thực hiện cải tiến nơi làm việc.
การรวมตัวกันเป็นกลุ่มเล็ก ๆของคนที่ทำงานอยู่ในที่เดียวกัน เพื่อทำกิจกรรมด้านการจัดการคุณภาพ โดยที่สมาชิกทั้งหมดจะปรับปรุงงานที่ทำให้ดีขึ้นอย่างต่อเนื่อง เป็นระยะ ๆ ด้วยการคิดกันเองและทำกันเอง
Kelompok kecil yang melakukan aktivitas manajemen mutu secara mandiri di tempat kerja yang sama. Melakukan perbaikan tempat kerja secara berkelanjutan, dan dilakukan oleh semua orang.
လုပ်ငန်းခွင် တစ်ခုအတွင်း အရည်အသွေးထိန်းချုပ်မှု လုပ်ဆောင်ချက်များကို လွတ်လပ်စွာ လုပ်ဆောင်သော အုပ်စုငယ်။ လုပ်ငန်းခွင် တိုးတက်ကောင်းရန် ဆောင်လက်၍ အားလုံး တက်ညီလက်ညီ လုပ်ဆောင်ခြင်း။

	かいぜんかつどう	do improvement activities	改善活動
304	**改善活動** (する)	Hoạt động cải tiến	กิจกรรมไคเซ็น
	kaizen-katsudō	aktivitas perbaikan	KAIZENလုပ်ရှားမှု လုပ်ဆောင်သည်

かいぜんかつどう 　 さん か
改善活動に　参加して　ください。

Please participate in *kaizen* activities. / 请参加改善活动。

Hãy tham gia vào các hoạt động cải tiến.

กรุณาเข้าร่วมกิจกรรมไคเซ็นด้วยครับ/ค่ะ

Ikutilah kegiatan kaizen (perbaikan).

KAIZENလုပ်ရှားမှုများတွင် ပါဝင်ပါ။

こうじょう 　 せいさんげんば 　 さ ぎょうこうりつ 　 あんぜんせい 　 かく ほ 　 み なお 　 かつどう 　 しょうしゅうだんかつどう 　 ていあん
工場の生産現場の作業効率や安全性の確保を見直す活動。小集団活動と提案
せい ど
制度からなる。

Activities to review work efficiency and safety in a plant's production workplaces. These consist of small group activities and proposal systems.

重新审视工厂生产现场的作业效率和确保安全性的活动。由小集体活动和建议制度组成。

Đây là hoạt động xem xét lại việc đảm bảo hiệu suất làm việc và an toàn ở hiện trường sản xuất của nhà máy. Hoạt động này được tạo thành từ các hoạt động tập thể nhỏ và cơ chế đề xuất.

กิจกรรมเพื่อการปรับปรุงการรักษาความปลอดภัย หรือประสิทธิภาพงานที่ไซต์งานผลิตของโรงงาน โดยเริ่มจากกิจกรรมกลุ่มย่อยกับระบบข้อเสนอแนะ

Aktivitas untuk meninjau efisiensi kerja maupun kepastian keselamatan di lapangan produksi di pabrik. Terdiri dari aktivitas kelompok kecil dan sistem usulan perbaikan.

စက်ရုံ၏ ထုတ်လုပ်ရေးနေရာမှ ထိရောက်မှုနှင့် လုံခြုံတိတ်ချုပ်မှုများ သေချာစွာရှိနေခြင်းကို ပြန်လည်သုံးသပ်ရန် လုပ်ဆောင်ချက်များ။ အဖွဲ့ငယ်များဖြင့် လုပ်ဆောင်မှုများနှင့် အဆိုပြုလွှာစနစ်ပါဝင်သည်။

	きじゅん	criteria/standards	基准
305	**基準**	tiêu chuẩn	เกณฑ์มาตรฐาน
	kijun	kriteria/standar	အခြေခံစံနှုန်း

	へいじゅんか	level	平准化
306	**平準化** (する)	làm đồng đều	ปรับระดับการผลิต
	heijunka	memeratakan	စံအတိုင်း ကိုက်ညီစေသည်

せいさんりょう 　 へいじゅん か
生産量　平準化します。

We even out production volumes. / 把产量平均化。

Chúng tôi làm đồng đều hóa sản lượng.

ปรับระดับปริมาณการผลิต ครับ/ค่ะ

Memeratakan jumlah produksi.

ထုတ်လုပ်မှုပမာဏကို တူညီသောစံမှုနှာပြောင်းလဲပါမည်။

	ひょうじゅん	standard	标准
307	**標準**	tiêu chuẩn	มาตรฐาน
	hyōjun	standar	ယေဘုယျစံနှုန်း

308	せいのう **性能** seinō	performance	性能
		tính năng	สมรรถภาพ
		performa/ kemampuan	လုပ်ဆောင်နိုင်စွမ်း
309	ほしょう **保証** (する) hoshō	guarantee	保証
		bảo hành	รับประกัน
		garansi	အာမခံသည်

製品には　1年の　保証期間が　あります。

The product has a one-year guarantee. / 产品有一年的保修期。

Sản phẩm có thời hạn bảo hành là 1 năm.

ผลิตภัณฑ์มีระยะเวลารับประกัน 1 ปีครับ/ค่ะ

Produk ini memiliki masa garansi satu tahun.

ထုတ်ကုန်တွင် အာမခံကာလ 1နှစ် ရှိပါသည်။

310	ふりょう **不良** furyō	defect	瑕疵／不良状況
		lỗi	ของเสีย/บกพร่อง/ สภาพไม่ดี
		cacat	အပြစ်အနာရှိခြင်း
311	けっかん **欠陥** kekkan	defect	缺陷
		khiếm khuyết	ตำหนิ
		cacat	အပြစ်အနာအဆာ
312	けっかんひん **欠陥品** kekkanhin	defective product	缺陷产品
		sản phẩm bị khiếm khuyết	ของมีตำหนิ
		barang cacat	အပြစ်အနာအဆာရှိသော ပစ္စည်း
313	こしょう **故障** (する) koshō	break down	故障
		hỏng	เสีย/ชำรุด/ขัดข้อง
		rusak	စက်ပျက်သည်

この　機械は　故障して　いますよ。

This machine is broken. / 这台机器出故障了。

Máy này bị hỏng rồi.

เครื่องจักรนี้ชำรุดอยู่ครับ/ค่ะ

Mesin ini rusak.

ကျွန်စက်ပစ္စည်းသည် ပျက်စီးနေပါသည်။

☐ 314	くじょう **苦情** kujō	complaint	抱怨
		khiếu nại	เคลม/คำร้องเรียน
		komplain/keluhan	တိုင်ကြားချက်
☐ 315	あふたーさーびす **アフターサービス** afutā-sābisu	after-sales service	售后服务
		dịch vụ sau bán hàng	บริการหลังการขาย
		layanan purna jual	ရောင်းချပြီးနောက် ပေးသည့်ဝန်ဆောင်မှု
☐ 316	ばらつき **ばらつき** baratsuki	variation	不规则
		không đồng đều	ความผันผวน/ ความแปรปรวน
		variasi/variabilitas	တစ်ခုနဲ့တစ်ခုတူညီမှုမ ရှိသော
☐ 317	ぼとるねっく **ボトルネック** botoru-nekku	bottleneck	瓶颈／障碍
		nút thắt cổ chai	คอขวด
		titik kritis/ hambatan	အကျဉ်းအကျပ်တွေ့ခြင်း
☐ 318	ぶどまり **歩留まり** budomari	yield	成品率
		hiệu suất sử dụng nguyên liệu	อัตราส่วนวัตถุดิบต่อ ผลผลิต/ยีลด์
		yield	သုံးစွဲသည့်ကုန်ကြမ်းနှင့် ရရှိကုန်ချောၒၵၵ်အချိုး
☐ 319	ぽかみす **ぽかミス** pokamisu	careless mistake	纰漏
		lỗi bất cẩn	พลาดโดยพลั้งเผลอ
		kesalahan karena ceroboh	အမှားကြောင့်ထွက်တဲ့ အနုအဆာပါတဲ့ကုန်
☐ 320	ゆがみ **ゆがみ** yugami　　→ p.101	distortion	歪斜
		biến dạng méo mó	บิดเบี้ยว/หลวม/ ไม่แน่น
		distorsi/lengkungan	တိမ်းစောင်းခြင်း/ရွဲ့ခြင်း
☐ 321	ずれ **ずれ** zure　　→ p.101	misalignment	偏差
		sai lệch	ไม่ตรงแนว/เบี้ยว/ เคลื่อน/ไม่ตรงกัน
		tidak sejajar/ pergeseran	ကွာဟချက်

☐ 322	ばり **バリ** bari → p.101	burr	毛刺
		bavia	ครีบ
		tonjolan	ပစ္စည်းထုတ်ချိန်ဖြစ်သည့် မျက်နှာပြင်မညီညာမှု
☐ 323	ひび **ひび** hibi → p.101	crack	裂缝
		vết nứt	รอยแตกร้าว
		retak	အက်ကြောင်း
☐ 324	むら **むら** mura → p.101	unevenness	不均匀
		không đồng đều	ไม่สม่ำเสมอ
		tidak merata	တစ်သတ်မှတ်တည်း မရှိခြင်း
☐ 325	もれ **漏れ** more → p.101	leakage	遗漏
		rò rỉ	รั่วไหล
		bocor	ယိုစိမ့်မှုခြင်း
☐ 326	れっか **劣化** (する) rekka	deteriorate	劣化
		xuống cấp	เสื่อมสภาพ
		terdegradasi	ယိုယွင်းလာသည်

部品が 劣化して いますから 交換します。

I will replace this worn part because it has deteriorated. / 零件老化了，要更换。

Vì linh kiện đã xuống cấp nên tôi thay thế.

ชิ้นส่วนเสื่อมสภาพแล้วก็เลยทำการเปลี่ยนครับ/ค่ะ

Mengganti suku cadang karena terdegradasi.

အစိတ်အပိုင်းသည် ယိုယွင်းနေသောကြောင့် လဲလှယ်ပါမည်။

☐ 327	むだ **無駄** muda	waste	浪费
		lãng phí	สูญเปล่า
		pemborosan	အလဟဿဖြစ်ခြင်း

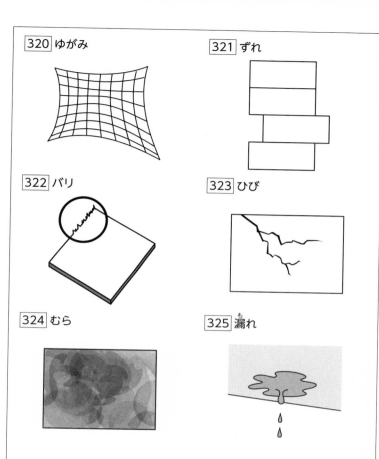

320 ゆがみ

321 ずれ

322 バリ

323 ひび

324 むら

325 漏れ

製造現場
せいぞうげんば

Manufacturing site	制造现场
Hiện trường sản xuất	หน้างานผลิต
Lapangan Produksi	ကုန်ထုတ်လုပ်ရေး လုပ်ငန်းခွင်

☐ **328**	げんば **現場** genba	manufacturing site	现场
		hiện trường	หน้างาน/ไซต์งาน
		lapangan/ lapangan kerja	လုပ်ငန်းခွင်
☐ **329**	らいん **ライン** rain	manufacturing line	生产线
		dây chuyền sản xuất	สายการผลิต/ ไลน์ผลิต
		lini manufaktur/ lini produksi	လိုင်း
☐ **330**	かんりず **管理図** kanrizu	control chart	管理图
		sơ đồ quản lý	ผังควบคุมงาน
		diagram manajemen	ထိန်းချုပ်ရေးဇယား
☐ **331**	さぎょうふろー **作業フロー** sagyō-furō	work flow	作业流程
		quy trình thao tác	ลำดับการปฏิบัติงาน
		alur kerja	လုပ်ငန်းပုံအဆင့်ဆင့်ပြပုံ
☐ **332**	さぎょうひょう **作業票** sagyōhyō	work chart	作业票
		phiếu thao tác	แผนภูมิการทำงาน
		lembar kerja	လုပ်ငန်းဇယား
☐ **333**	ひょうじゅんさぎょうひょう **標準作業票** hyōjun-sagyōhyō	standardized work chart	标准作业票
		phiếu thao tác tiêu chuẩn	คู่มือมาตรฐานการ ทำงาน
		lembar kerja standar/ SOP	စံလုပ်ငန်းဇယား

334	しじしょ **指示書** shijisho	instruction sheet	指示书
		bảng chỉ thị	ใบคำสั่งงาน
		lembar instruksi	ညွှန်ကြားလွှာ
335	らべる **ラベル** raberu	label	标签
		nhãn	ฉลาก/ป้ายกำกับ
		label	အညွှန်း
336	だんどり **段取り** dandori	arrangement	安排
		sắp xếp	ลำดับขั้นตอนของงาน
		dandori/urutan	လုပ်ပုံလုပ်နည်း
337	てじゅん **手順** tejun	procedure	顺序／步骤
		trình tự	ขั้นตอน
		prosedur	လုပ်ဆောင်ခြင်းနည်း လမ်း
338	つうろ **通路** tsūro	aisle	通道／过道
		lối đi	ทางเดิน
		lorong	စကြံန့်လမ်း
339	さぎょうだい **作業台** sagyōdai　→ p.104	workbench	作业台
		bàn làm việc	โต๊ะปฏิบัติงาน
		meja kerja	လုပ်ငန်းသုံးခုံတန်းလျား
340	こんべや **コンベヤ** konbeya　→ p.104	conveyer	传送带
		băng chuyền	สายพานลำเลียง
		konveyor	သယ်ပို့သည့်ကိရိယာ
341	じぐ **治具** jigu	jig	夹具
		đồ gá	จิ๊ก/อุปกรณ์ล็อค ตำแหน่ง
		jig	သတ်မှတ်နေရာသို့ ပို့ဆောင်ပေးသည့်ပစ္စည်း

		waste cloth	废布头
□ 342	うえす **ウエス** uesu	giẻ lau	เศษผ้า
		kain bekas	စက်ရုံသုံးလက်နှီးစုတ်
□ 343	あな **穴** ana	hole	洞
		lỗ	ရွ
		lubang	အပေါက်
□ 344	みぞ **溝** mizo	groove	沟
		rãnh	ร่อง
		alur	အမြှောင်း

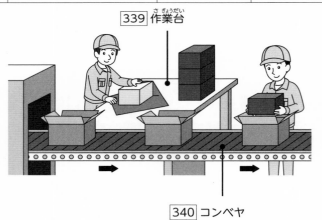

339 作業台

340 コンベヤ

著者　　一般財団法人 海外産業人材育成協会（AOTS／エーオーティーエス）
　　　　The Association for Overseas Technical Cooperation and Sustainable
　　　　Partnerships

監修　　宮本真一　元　AOTS総合研究所　グローバル事業部　部長

執筆者　杉山充　AOTS総合研究所　グローバル事業部　日本語教育センター長
　　　　清水美帆　帝京大学　日本語教育センター　講師
　　　　　　　　元　AOTS総合研究所　グローバル事業部　日本語教育センター

協力者　内海陽子、常次亨介、平野貴昭

協力企業　井上護謨工業株式会社、株式会社上田工業、三宝ゴム工業株式会社、
　　　　　湘南造機株式会社、株式会社CHAMPION CORPORATION、
　　　　　株式会社ニチダイ、株式会社フジ、株式会社モールドテック

イラスト　株式会社アット イラスト工房

装丁・本文デザイン　梅津由子

ゲンバの日本語　単語帳　製造業
働く外国人のためのことば

2021年4月26日　初版第1刷発行
2024年2月20日　第 3 刷 発 行

著　者　　一般財団法人 海外産業人材育成協会
発行者　　藤嵜政子
発　行　　株式会社スリーエーネットワーク
　　　　　〒102-0083　東京都千代田区麹町3丁目4番
　　　　　　　　　　　　トラスティ麹町ビル2F
　　　　　電話　営業　03（5275）2722
　　　　　　　　編集　03（5275）2725
　　　　　https://www.3anet.co.jp/
印　刷　　萩原印刷株式会社

ISBN978-4-88319-884-9　C0081